FILLE
À
VENDRE

Dïana Bélice

FILLE À VENDRE

ÉDITIONS DE MORTAGNE

Catalogage avant publication de Bibliothèque et Archives nationales
du Québec et Bibliothèque et Archives Canada

Bélice, Dïana, 1985-

   Fille à vendre

   (Tabou; 14)

   ISBN 978-2-89662-220-7

   I. Titre. II. Collection: Tabou; 14.

PS8603.E443F54 2013   C843'.6   C2013-940375-2
PS9603.E443F54 2013

Édition
Les Éditions de Mortagne
C.P. 116
Boucherville (Québec) J4B 5E6
Tél.: 450 641-2387
Télec.: 450 655-6092
Courriel: info@editionsdemortagne.com

Dépôt légal
Bibliothèque et Archives Canada
Bibliothèque et Archives nationales du Québec
Bibliothèque Nationale de France
2ᵉ trimestre 2013

ISBN 978-2-89662-220-7
ISBN (epdf) 978-2-89662-221-4
ISBN (epub) 978-2-89662-222-1

1 2 3 4 5 – 13 – 17 16 15 14 13

Imprimé au Canada

Nous reconnaissons l'aide financière du gouvernement du Canada par l'entremise du Fonds du livre du Canada pour nos activités d'édition et celle du gouvernement du Québec par l'entremise de la Société de développement des entreprises culturelles (SODEC) pour nos activités d'édition. Gouvernement du Québec – Programme de crédit d'impôt pour l'édition de livres – Gestion SODEC.

Membre de l'Association nationale des éditeurs de livres (ANEL)

À celui qui a cru en moi dès le départ, mon amour.

À celui qui m'a fait découvrir qui je suis, mon fils.

À toutes ces jeunes filles qui se disent « Leïla, ça ne sera jamais moi ».

Ne soyez pas aveugles.

SOMMAIRE

PROLOGUE

C'est loin d'être comme on pense. Loin d'être comme dans les films. Tu sais, ceux où la fille mène une p'tite vie parfaite, avec des parents parfaits, dans un quartier parfait, avec des amis tout aussi parfaits ? Où l'amour est simple et bienveillant ? Non, ça se passe pas vraiment comme ça dans *mon* film... Dans le mien, la fille finit maganée dans un vieux motel miteux. Dans mon film, le prince charmant est un beau garçon aux yeux brillants qui promet la lune pour ensuite me l'arracher à coups de batte de baseball en arrière de la tête. Le personnage principal de mon film, elle, n'a pas droit à une relation amoureuse saine. Non. Elle a droit à une demi-douzaine de gars qui la sautent en même temps...

Ce film-là, c'est l'histoire de ma vie. C'est la réalité. Ma réalité. Dure. Crue. Inimaginable. Et si jamais tu te rends là, le seul conseil que j'peux te donner, c'est « bonne chance ».

FILLE À VENDRE

Je m'appelle Leïla. Plus précisément, Leïla Anne Desrochers. En tout cas, c'est la personne que j'étais avant que ne se produisent dans ma vie des événements particuliers. Maintenant, je sais plus vraiment qui j'suis. J'avais quinze ans quand c'est arrivé. Je viens d'en avoir seize. Sweet sixteen. Tu parles ! Ce que j'ai vécu dans la dernière année, c'est loin de l'être, sweet. Tu veux savoir pourquoi ? Ben, pour raconter une histoire, il faut commencer par le début et comme je pensais que j'étais en train de vivre un vrai conte de fées...

Il était une fois...

PARTIE 1

La petite vie bien rangée

1

Il était une fois moi. La plus ordinaire des filles de mon âge. Je vais à l'école de mon quartier et je suis presque rendue à la fin de cette expérience ennuyeuse qu'est le secondaire. Après presque quatre années passées entre ces murs, je ne suis toujours pas capable de déterminer l'utilité de ce que nous apprenons. Apprendre à jouer de la flûte, apprendre le PIB d'un pays dont j'ignorais même l'existence… Non, sérieux, à quoi ça va me servir tout ça ? La seule chose à laquelle je m'accroche pour me donner le courage de continuer, c'est qu'il me reste une petite année et demie et j'aurai fini mon secondaire. Enfin, je pourrai passer aux choses sérieuses.

J'ai un frère de vingt ans, qui a déjà quitté la maison, et une petite sœur de sept ans, qui est la fille adorée de mes parents. Je suis l'enfant du milieu. Un jour, j'ai lu quelque part que l'enfant du milieu signifiait « problèmes ». Il faut bien noter le « s » ici. Et être dans cette position, laissez-moi vous dire que ça n'a rien de facile. Je n'arrive pas à trouver ma place. Mes parents me tiraillent constamment entre l'exemple parfait de mon grand frère, étudiant à l'université, et celui de ma petite sœur, sage comme une image. À mon avis, ce n'est pas pour rien que les enfants du milieu ont des tendances rebelles, considérant la manière dont on les traite. C'est vrai! Selon les situations, je suis étiquetée comme une grande («Oui, bien sûr, tu peux te coucher à minuit, ce soir») ou comme une petite fille qui ne sait pas ce qu'elle fait («Non, pas question que tu partes pour une fin de semaine avec tes amis!»). Donc, ils sont toujours en train de me considérer comme une adulte ou comme une enfant, selon ce qui fait leur affaire. Vraiment épuisant! Je ne pourrais pas tout simplement être moi?

D'après mes parents, je suis une peste. Mais ça ne leur prend pas grand-chose pour se faire ce genre d'idée: leur répondre quand ils me réprimandent et écouter, lorsqu'on est à table, la musique de mon iPod, c'est suffisant. Franchement, pas de quoi se faire des ulcères! Bon. Soyons honnête, il est arrivé que mes parents soient appelés par la direction parce que j'avais été surprise à graver, avec la pointe de mon compas, des trucs sur mon pupitre. Il y a eu cette autre fois aussi, où j'ai été prise à dormir dans le vestiaire du gym. J'avais dit au prof que j'allais à l'infirmerie… Et c'est vrai que je fais plus ou moins mes devoirs (avouons-le, c'est totalement inutile). OK, je ne suis pas toujours un ange! Mais quand même, j'ai déjà entendu pire!

De toute façon, l'école, ce n'est qu'un plan B. Ce que je veux vraiment faire dans la vie, c'est chanter. Je regarde les Britney Spears et les Katy Perry de ce monde et je me dis que tout ça, c'est de la merde. Moi, je veux être une Tina Turner. Bref, être une femme forte et inspirante qui a dû traverser des épreuves, mais qui s'est tout de même rendue au sommet de son art. Une femme avec une voix incroyable, distinctive, et qui raconte dans ses chansons les vraies difficultés de la vie. Je ne veux pas juste chanter sur l'été et la crème glacée. Je veux faire vibrer les gens au plus profond de leur être. Je fais d'ailleurs tout mon possible afin de réaliser ce rêve. J'écris mes propres textes et partitions, en plus de travailler ma technique de guitare comme une détraquée. Je veux être auteure-compositrice-interprète. Une vraie artiste, quoi ! Tout ce qu'il me faudra ensuite, c'est un peu de chance et… frapper à beaucoup de portes. Je sais que ma carrière ne sera pas lancée du jour au lendemain, mais je suis travaillante et prête à tous les sacrifices pour réussir.

C'est sûr que tous ces projets sont loin de ceux de mon frère Luc, qui étudie à l'Université Laval, à Québec, pour devenir avocat. C'était son plus grand rêve. On peut difficilement faire plus parfait que ça ! Je suis heureuse qu'il soit en train de réaliser son rêve, mais en même temps, je l'ai tellement haï quand il est parti ! J'ai vraiment eu l'impression qu'il m'abandonnait avec les parents et Sophie, notre petite sœur. Luc était mon meilleur ami. Je lui racontais tout. De mes mauvais coups jusqu'aux garçons que je trouvais mignons. Mais là, maintenant qu'il est à des centaines de kilomètres de moi, j'ai l'impression que je n'ai plus personne à qui parler. On jase une fois de temps en temps grâce à Skype, mais ce n'est plus comme avant.

Sophie, elle, il n'y a pas grand-chose à en dire, sauf peut-être que j'ai zéro affinité avec elle. Il ne faut pas se méprendre : je l'aime. Mais encore plus quand elle reste hors de mon chemin. Elle fait du ballet dans un petit tutu rose bonbon, baguette magique à la main, et sa plus grande ambition, c'est de faire comme maman : devenir prof de piano. Ah ! Maman, chère maman ! Et mon père… Que dire de mes parents ? Ou plutôt « ceux que j'appelle mes parents » puisque j'ai l'impression de ne plus en avoir. Mon père est médecin et travaille comme un forcené, et ma mère consacre tout son temps aux cours de piano qu'elle donne à domicile, alors je ne sais plus vraiment qui ils sont. Je n'arrive pas à me souvenir de la dernière fois où on a eu du plaisir tous ensemble. Les seules conversations que nous avons tournent autour des banalités d'usage : bonjour, à plus tard, bonne nuit, j'ai besoin d'argent, et non, je n'ai rien à voir là-dedans !

En tout cas. C'est bien beau ce résumé-de-ma-vie-assez-ordinaire-merci, mais ce n'est pas tout, il faut que je me rende à l'école.

Je descends les marches quatre à quatre pour me rendre à la cuisine, où j'aperçois mon père et ma mère, assis à table, l'air sérieux. Pas un seul regard pour moi. Ça me stupéfie de voir comment ils peuvent parfois ne me porter aucune attention. OK, salut les robots ! Moi, je me pousse !

— Un instant, jeune fille ! m'interpelle mon père. Tu n'as pas l'intention de manger avant de partir ?

— Non, je mangerai quelque chose à l'école.

Je m'apprête à sortir de la pièce quand mon père insiste.

— Ma puce, viens t'asseoir avec nous. Ça fait longtemps qu'on n'a pas déjeuné tous ensemble, plaide-t-il sans trop de conviction dans la voix, les yeux toujours cachés derrière son journal.

Dès que le mot « puce » a été prononcé, j'ai senti tous les poils de mon corps se hérisser. « Ma puce » ? Est-ce qu'il a déjà vu une puce, lui ? J'ai vu un reportage sur ces bestioles à la télé un jour (c'était un samedi après-midi pluvieux, OK !) et je peux affirmer que c'est loin d'être une créature charmante avec laquelle on a envie de prendre le déjeuner! Ce sont des petites bestioles répugnantes, avec un corps plat et de longues pattes poilues, qui n'ont que deux buts dans la vie: sucer votre sang et vous causer bien des ennuis. On n'a donc qu'une seule envie: s'en débarrasser. Toujours envie de déjeuner avec ta petite puce, papa?

Je soupire bruyamment. À contrecœur, je m'installe à table avec eux. Juste pour faire plaisir à mon père, même si je doute que ça lui importe vraiment. Il demande à ma mère de bien vouloir me servir une assiette. Elle le regarde avec des poignards dans les yeux et lui demande pourquoi il ne s'occupe pas lui-même de servir «sa petite puce». Il répond distraitement qu'il doit finir de lire cet article avant de se rendre au boulot. Ma mère grommelle quelque chose du genre «Je te signale que tu n'es pas le seul à devoir travailler, ici», et se lève pour me préparer une assiette. Soupir exaspéré de mon père en guise de réponse. Classique. C'est fou comme l'amour règne dans la pièce!

Merci pareil, mais je n'avais pas envie de partir pour l'école en me disant que j'ai été un sujet de discussion chiant. «Nourris ta fille!» «Non, ça ne me tente pas! Fais-le, toi!» Risible. Mais évidemment, comme une fois de temps en temps, pendant une seconde ou deux, il a fallu que mon père décide de jouer, planqué derrière son journal, l'homme impliqué dans la vie de ses enfants. Il me semble que l'étape suivante, après m'avoir invitée à m'asseoir à table, aurait été d'engager la conversation? Je lui donne un gros zéro pour l'effort.

En prenant une bouchée de crêpe dégoulinante de sirop d'érable et de beurre, je les observe. Leurs visages aux traits tirés par la fatigue sont gris. Ils sont perdus dans leur monde respectif, l'un plein de scalpels et de bandages, l'autre plein de clés de sol et de métronomes. Maman et moi partageons la passion pour la musique. Pourtant, nous sommes incapables d'avoir une discussion de plus d'une minute sans que le ton monte. Malgré tout, c'est grâce à elle que je me suis intéressée à la musique. Lorsque j'étais enfant, elle m'assoyait sur ses genoux pour me jouer des mélodies toutes plus enchanteresses les unes que les autres. J'adorais sentir sa passion vibrer de ses bras jusqu'à ses longs doigts qui filaient sur les touches ivoire et noires de notre vieux piano. Je voulais la même chose pour moi, plus tard. Être habitée de cette passion. C'est bien la seule chose positive que j'ai retenue de notre relation. Pathétique.

Je ne sais pas ce qui s'est passé pour que les choses changent aussi radicalement. Mon père dit souvent que c'est simplement parce que je suis devenue une ado. OK, peut-être, mais je ne pense pas que ça justifie le fait qu'on n'ait rien en commun avec ses parents. J'ai quand même leurs gènes, non !?! Alors, c'est ça qui arrive ? En grandissant, on s'éloigne et on s'ignore ? La joie !

Sincèrement, je pense que papa et maman nous ont oubliés. Moi en particulier. Ils sont tellement accaparés par leur travail qu'ils négligent leur enfant du milieu. Oui, moi, qui suis ici avec une flèche rouge géante 3D au-dessus de la tête qui scintille de mille feux ! Ils oublient même des choses comme les rencontres parents-professeur lors de la remise de bulletin !

Mes parents disent sans cesse que tout ce qu'ils font, c'est pour notre bien, mais franchement, je ne vois pas l'intérêt pour moi, ici. Vrai, j'ai une tonne de machins électroniques, tous aussi cool les uns que les autres. Mais aussi fou que ça puisse paraître, je les échangerais bien contre une discussion, aussi insignifiante soit-elle, avec mes vieux. Hum… à bien y penser, je crois que je peux continuer de rêver en couleurs.

Je repousse mon assiette, le peu d'appétit que j'avais s'est envolé pour de bon. Je me lève et ramasse mon sac à mes pieds. Je me retourne pour voir s'ils ont remarqué que je quittais la table et, comme je le pensais, ça leur passe par-dessus la tête.

— Bye, dis-je quand même.

— Oui, bonne journée, lance légèrement ma mère.

Ça fait maintenant trois jours que je suis sans nouvelles de Patrick, mon chum. Ce premier octobre, ça fera dix mois que nous sommes ensemble. Tout était relativement parfait entre nous jusqu'à la chicane que nous avons eue en début de semaine. Depuis, il ignore systématiquement tous les textos que je lui envoie et tous les messages que je laisse sur son cellulaire. Lorsque je téléphone chez lui, il n'est jamais disponible. Pour ce qui est de le croiser dans les corridors de l'école, impossible, il joue à cache-cache. Quel con ! Tout ça à cause d'une histoire de sexe. Non mais, quelle partie de « Je ne suis pas prête à coucher avec toi » il ne comprend pas ? Je n'aurais pas pu être plus claire, il me semble. Pourtant, il n'arrête pas de me mettre de la pression. D'ailleurs, il a tout un tas de tactiques pour essayer de me convaincre de franchir le pas. Dont la flatterie. Il me dit constamment que mes seins et mes fesses le rendent fou et qu'il ne pourra plus se retenir bien longtemps. Il compare souvent mes courbes à celles de Kim Kardashian. Je trouve qu'il exagère, même si des fois, lorsque je m'observe dans un miroir de plain-pied, je peux voir une miniressemblance…

Je dois l'admettre, mes formes sont très généreuses pour une fille de mon âge et selon ses termes, «C'est trop *hot*, tous les hommes en rêvent!». Avec cette excuse en poche, Patrick essaie toujours de mettre ses mains là où il ne faut pas. Mais je ne suis pas prête. Un point, c'est tout! C'est sûr que je me trouve chanceuse d'avoir un corps si attirant pour mon copain, mais franchement, il y a d'autres choses qui comptent davantage.

Je veux faire l'amour avec une personne qui signifie réellement quelque chose pour moi. Je me fiche que toutes mes copines, ou presque, aient déjà franchi le pas. Je me fiche que les amis de Patrick lui disent qu'il n'est pas capable de faire l'amour avec sa propre blonde. Je me fous de tout ça. La seule chose qui m'importe vraiment, c'est d'être bien avec moi-même et les choix que je fais. C'est ma vie, non? Pas celle de tout le monde!

Un voyage en autobus plus tard, me voici à l'école. Ma meilleure amie, Ariane, est devant sa case, occupée à rassembler ses livres pour la première période de la journée. Comme d'habitude, elle porte ses lunettes roses extralarges Ray-Ban, la seule chose qui contraste avec son look gothique et ses cheveux noirs aux reflets bleutés, lissés à l'extrême. Elle s'habille toujours en noir et ne jure que par Marilyn Manson. C'est un peu dépassé peut-être, mais elle est comme ça et je ne la changerais pour rien au monde. Ariane, c'est mon petit ange gardien. Elle est comme ma nouvelle «Luc», sauf qu'avec elle je peux aller magasiner. Définitivement un plus!

On s'est connues au début du secondaire alors qu'on avait été placées en équipe par la prof d'écologie. Au départ, j'étais terrifiée parce que je suis totalement nulle en sciences et parce qu'elle semblait l'être tout autant que moi. Par contre, dès que nous avons eu notre premier travail pratique, elle m'a complètement étonnée : elle savait exactement de quoi elle parlait. Non seulement j'étais assurée de passer mon cours d'écologie, mais en plus, je venais de me faire une nouvelle amie !

— Salut Leïla, ça va ?

— Bof ! Je n'ai toujours pas de nouvelles de Patrick. Je commence vraiment à me demander à quoi il joue.

— Euh… Je ne pense pas que ce soit bien difficile à deviner ! Il joue au gars qui a envie de faire l'amour avec sa blonde ! Il est probablement en train de te faire payer en t'ignorant parce que tu ne lui donnes pas ce qu'il veut !

— Si c'est ce qu'il est en train de faire, c'est vraiment ridicule et immature de sa part !

— Tu sais comment sont les gars ! Ils se laissent influencer par leurs amis, qui ont supposément tout essayé sur le plan sexuel. Il veut juste faire partie de la *gang* lui aussi.

Tiens, tiens ! Parlant du loup ! Patrick sort des toilettes, accompagné de ses trois fidèles acolytes, avec lesquels il s'esclaffe comme s'ils venaient d'entendre la meilleure blague du monde. On gage combien qu'ils sont en train de se payer ma tête ? La preuve, Patrick s'arrête net quand il me voit. Il tourne carrément les talons et reprend sa route dans l'autre direction. Heu… Est-ce que je viens de me faire intentionnellement – et publiquement – bouder par mon chum ?

Je lui crie :

— Patrick !

Il ne s'arrête pas. Je m'élance donc à sa suite et pose ma main sur son épaule pour le forcer à me faire face.

— Quoi ? répond-il d'un ton sec.

Si un doute planait dans mon esprit, il s'est maintenant envolé. Patrick était bel et bien en train de m'ignorer. Son intonation ne ment pas.

— Comment, quoi ? Ça fait trois jours que tu m'ignores !

— J'pensais pas être en laisse ! fanfaronne-t-il plus à l'intention de ses copains que pour moi.

Il joue les machos !? Complètement ridicule ! Comme de bons chiens de poche, ses amis rigolent derrière lui.

— On peut se parler deux minutes ? je lâche, entre mes dents, furieuse.

— Désolé, je dois aller en classe. On se verra plus tard.

Tandis que je le regarde filer vers son local, je me demande comment j'ai pu tomber amoureuse d'un imbécile pareil. Il faut dire qu'avant qu'il ne devienne capitaine de l'équipe de basket-ball et qu'il les mène à la victoire contre le collège Jean-Eudes, il était beaucoup moins arrogant. Et plus gentil. Plus attentionné. Pas juste obsédé par l'idée de faire l'amour.

Depuis quelques semaines, c'est tout ce qu'il attend de moi, qu'on fasse l'amour ou encore que je lui fasse une fellation dans les toilettes. J'ai vu plein de filles en faire à des gars dans quasiment tous les recoins de l'école. Comme si c'était une nouvelle mode.

Patrick m'a d'ailleurs parlé d'un party où il est allé – en tant qu'observateur seulement, m'a-t-il juré. Il avait lieu dans le sous-sol de son ami François, il y a environ deux semaines. Là-bas, il y avait plusieurs gars de ma classe et aussi, d'après ce que j'ai appris, des gars du cégep. Le concept de la soirée était le suivant : des filles se présentent avec des rouges à lèvres de couleurs différentes. Rouge, mauve, rose, bleu, peu importe. Ensuite, une à une, elles s'appliquent à faire une fellation à un des gars présents jusqu'à ce que celui-ci atteigne l'orgasme. Le but du jeu ? Le gars ayant le pénis le plus coloré gagne le concours. Ce que j'en pense ? DÉGUEULASSE ! Le pire dans tout ça, c'est que Patrick m'a dit que c'était tout à fait innocent comme jeu parce qu'il n'y avait pas de pénétration, donc aucun risque de contracter une ITSS. Il devrait revoir ses cours de biologie !

Ariane me tire de mon triste discours mental en tapotant mon épaule.

– Allez, viens, Leïla, sinon on va être en retard.

Nous nous dirigeons à pas rapides vers la classe. Juste au moment où nous prenons place, la cloche sonne. Un autre cours de maths. Je déteste ça. Le prof se lance dans son exposé, mais je suis déjà loin. Je me demande ce qu'il faudrait que je fasse pour que tout redevienne comme avant entre Patrick et moi. Soudain, mon téléphone se met à vibrer. Si seulement c'était lui qui m'envoyait un texto pour me dire qu'il s'excuse! Je regarde l'écran de mon téléphone et non, ce n'est pas lui, mais Ariane. Nous nous envoyons souvent des messages durant la classe. Ça nous permet de passer le temps en discutant de choses beaucoup plus intéressantes que les inconnues x et y. Je cache mon cellulaire sous mon pupitre et lis les trois messages qu'elle vient tout juste de m'envoyer.

Message 1, 8 h 51
Tu es ma meilleure amie et je ne voudrais pas te voir blessée par un imbécile comme celui que tu appelles ton chum… Je ne voulais pas te le dire, mais je me lance. Patrick a des comportements suspects, ces derniers temps, quand il y a d'autres filles autour de lui… surtout Nancy…

Message 2, 8 h 52
Ils sont toujours en train de se faire de petites attentions. Si je ne le connaissais pas, je dirais qu'il n'a pas de blonde et qu'il s'en cherche une… Qu'est-ce que tu vas faire?

Message 3, 8 h 53
On fait presque plus rien, toi et moi. Avant, on était les meilleures amies du monde et là… On pourrait faire comme avant! Tu sais, nos fameuses soirées pyjama? On avait tellement de fun! On regarderait des films toute la nuit avec du pop-corn… Ce serait bien, non?

J'ai le souffle coupé. Elle me lâche cette bombe et me demande ensuite ce que je vais faire? Et une soirée pyjama pour couronner le tout?! Ariane est complètement à côté de la plaque. Comme si c'était ma priorité après cette nouvelle choc. Patrick et Nancy Gentil?

FILLE À VENDRE

J'ai littéralement le sang en ébullition. Je ne réponds même pas à Ariane. De toute façon, elle doit comprendre, en me voyant me tortiller sur ma chaise, que je suis loin d'être enchantée par ce que je viens d'apprendre.

Nancy n'a jamais été très amicale à mon endroit. Et c'est pire depuis que je sors avec Pat. Il lui est même arrivé de me lancer des piques vraiment méchantes quand elle me voyait en sa compagnie. Serait-elle jalouse de notre relation? Pire encore, est-ce qu'elle *veut* mon amoureux? Patrick m'a toujours dit de ne pas prêter attention à Nancy et à ses commentaires. D'ailleurs, quand j'y pense, il se montrait assez insistant sur ce fait. Quelque chose me serait-il passé sous le nez sans même que je m'en rende compte?

Quand la cloche résonne finalement, je bondis de ma chaise et sors de la classe précipitamment. Je veux parler avec Patrick, mais je me rappelle qu'à cette heure-là, il a un entraînement de basket. Je me concentre donc sur ma prochaine victime, Nancy, «la princesse haïtienne» comme elle se plaît tant à s'appeler. Je vais la faire descendre de son trône, et à toute vitesse! Je vois carrément rouge. Mon radar interne est à la recherche d'une longue chevelure noire lisse et lustrée – dès que je la trouve, je lui arrache sa perruque! Si je dois la trouver quelque part, c'est probablement à la café, près des fenêtres, la place qu'elle et ses copines ont littéralement achetée si on considère qu'elles s'assoient à cette table depuis que nous avons commencé le secondaire.

FILLE À VENDRE

Mes yeux tombent sur elle, à l'endroit exact où j'étais sûre de la trouver. Comme un *terminator* en mode destruction, je m'avance vers elle.

– Hé toi, la… la…

Je cherche mes mots. Je n'ai pas l'habitude d'insulter les gens! Mais je réussis tout de même à articuler:

– … sale pute!

Ça m'a pris du temps mais là, il n'y a plus de doute quant à mes intentions, qui sont loin d'être pacifiques. Elle se retourne tout de suite. Elle sait pertinemment que je m'adresse à elle. Nancy a une réputation qui la précède partout où elle va et elle s'en fiche. Elle est connue comme étant la traînée par excellence. Dans les partys, si un gars a envie de faire des grouillades[1], elle est la première personne qui lui vient à l'esprit. Et franchement, elle ne dit jamais non. Elle est comme un McDo, ouverte vingt-quatre heures sur vingt-quatre.

Elle me détaille de la tête aux pieds, avec une moue de dégoût, et je me surprends à avoir envie de lui donner une bonne claque.

– Qu'est-ce que tu veux, le laideron? me lance-t-elle avec arrogance.

– J'ai entendu dire que tu tournais autour de Patrick.

---

1. Type de danse sensuelle et provocante populaire auprès des jeunes.

— Et ? dit-elle dans une mimique qui laisse entendre qu'elle peut jouer sur toutes les plates-bandes qu'elle veut.

— Patrick est avec moi et on s'aime ! Alors garde tes sales pattes sur toi et tes cuisses bien fermées, OK ?

Elle lâche un petit rire moqueur.

— Ouais, c'est justement ça, le problème. Les tiennes, t'es pas capable de les ouvrir !

En disant ces mots, elle se lève et me défie du regard. Elle pousse même l'affront jusqu'à me bousculer du bout de ses doigts aux ongles ridiculement longs. C'est un coup bas auquel je ne m'attendais pas. Patrick lui aurait-il parlé de ce qui se passe entre nous ? Je me sens trahie et ma réaction est instinctive, primitive. Je lui crache au visage. C'est un coup bas auquel elle ne s'attendait pas non plus.

— *Bitch !* me crie-t-elle.

Elle se lance alors sur moi et me tire les cheveux comme une enragée. Je comprends très vite que ce n'est pas la première fois qu'elle se trouve dans une situation pareille, contrairement à moi. J'entends des élèves qui s'attroupent autour de nous et certains scandent même son nom. Je n'ai même pas un supporteur dans la salle ? J'essaie de ne pas faire une folle de moi et je tente de l'atteindre d'un bon coup à la figure. Je pense que c'est mission accomplie quand je vois une rigole de sang suivre la ligne de son nez. Entre les « Nancy ! Nancy ! » et les « *Fight ! Fight !* » qui fusent de partout, c'est au tour de monsieur Lamotte, le directeur de l'école, et de monsieur Allard, le prof d'éducation physique, de s'en mêler.

— Mais qu'est-ce qui se passe ici ?

Cette voix nasillarde, c'est celle de monsieur Lamotte.

Je me sens fermement agrippée par le collet même si je tiens encore Nancy par les cheveux. Comme je refuse de lâcher prise, on me tire vers l'arrière et, dans le mouvement, j'arrache une de ses mèches. Ah ! On dirait que madame achète des extensions bon marché ! J'entends Nancy pousser un cri d'horreur.

— Tu m'as arraché des cheveux, espèce de frigide ! J'vais t'la péter, ta gueule de p'tite vierge coincée, tu vas voir !

Tout le monde se met à rire. Ma virginité est maintenant une affaire publique. Dans un coin, je remarque Ariane, qui me regarde, l'air inquiet. Elle était où quand j'avais besoin d'un partisan dans mon équipe ? Chassés par monsieur Lamotte, les indiscrets se dispersent. Le spectacle est fini.

2

Me voilà assise aux côtés de Nancy, qui tient un sac de glace contre son arcade sourcilière. Moi j'en tiens un sur ma lèvre inférieure. Nous sommes dans le «purgatoire». Le bureau du directeur. Monsieur Allard est debout derrière nous comme un garde du corps. Pour s'assurer qu'on n'essaiera pas encore de s'entretuer, je suppose.

J'entends monsieur Lamotte appeler nos parents dans le bureau de son adjointe. Si je comprends bien, ceux de Nancy ne seront pas là de sitôt. Je l'entends qui demande à parler avec mon père, mais je sais d'avance qu'il ne sera pas en mesure de l'avoir au téléphone. Il doit probablement être en train de sauver la vie d'un pauvre enfant ou un truc du genre. Ma mère, elle, il la joint tout de suite, comme je m'y attendais. J'imagine déjà l'expression sur son visage. Quand elle est contrariée, elle ouvre excessivement les yeux et pince les lèvres jusqu'à ce qu'elles deviennent une mince ligne blanche. Elle va être furieuse que je vienne gâcher son emploi du temps.

FILLE À VENDRE

Le directeur fait irruption dans la pièce et s'installe derrière son bureau comme s'il s'agissait du poste de commandement d'un général. Il sort ensuite nos dossiers, qu'il se met à étudier en silence. À chaque page qu'il tourne, il hoche la tête d'un air entendu. Après quoi, il nous regarde toutes les deux, ses minuscules yeux tentant de percer notre âme à jour. Mais ça ne marche pas. En ce qui me concerne, il ne réussira jamais. Il ne sait pas que j'ai bien mieux à faire.

Je m'imagine sur scène, grattant ma guitare au rythme de Anywhere But In This Place, *une des chansons se trouvant sur mon tout premier album. Alors que je suis assise au beau milieu de la scène, un seul et unique projecteur m'illumine. Il n'y a personne d'autre que moi sur ces planches qui ont vu tant d'artistes défiler. Mon* band *a pris une pause pour me permettre de partager un moment d'intimité avec mes fans. Après tout, c'est moi qu'ils sont venus entendre chanter.*

Le courant entre mon public et moi est palpable tandis qu'ils brandissent dans les airs leur cellulaire en guise de briquet et chantent en même temps que moi les paroles de la chanson qu'ils connaissent par cœur. Ils m'aiment et ont toute leur attention tournée sur moi. Ils ne sont venus que pour moi ! Quel fantastique sentiment que celui de se sentir aimée !

Pendant que mes doigts courent habilement le long du manche de ma guitare, une voix m'interpelle.

— Vous revenez sur terre, mademoiselle Desrochers ?

Ouais. Il n'y a pas mieux pour revenir à la réalité que la voix grinçante de monsieur Lamotte. Partir dans mon petit monde imaginaire, où ma vie est cent fois meilleure, est quelque chose qu'il m'arrive souvent de faire. Ça me distrait des moments plus ou moins intéressants de mon existence.

— Ton comportement me déçoit beaucoup, Leïla, conclut-il en reniflant bruyamment. Qu'est-ce qui s'est passé ? Qu'est-ce qui a bien pu te pousser à te battre ?

Je ne réponds pas. Je n'ai pas l'intention d'étaler davantage mes problèmes sur la place publique. Surtout en présence de monsieur Lamotte. En plus, Nancy a l'air d'en savoir déjà trop à mon goût. Ma mère fait irruption dans la pièce au même moment. Je sens l'hystérie planer autour d'elle, telle une aura maléfique. Ça s'annonce mal…

Vingt et une heures vingt-deux. Je suis dans ma chambre. J'ai été suspendue. Je peux tout de même finir la semaine, car nous sommes en période de préparation aux examens. C'est un privilège que m'accorde monsieur Lamotte. Selon lui, ce serait injuste que je sois obligée de reprendre une année au complet pour un moment de pur égarement de ma part.

En passant en revue les événements du jour, je n'arrive pas à croire que c'est moi qui ai agi de cette manière. C'est contre mes principes de donner raison à monsieur Lamotte, mais ce genre de comportement ne fait pas partie de mes habitudes. Je ne pensais pas non plus que c'était dans les habitudes de Patrick de me tromper.

Je regarde des photos de nous que j'ai collées sur le mur. Il y en a une tonne : au cinéma, en camping lors d'une classe nature, au bowling, au parc. Entre tout ça, j'ai collé des mots qui nous désignaient bien : « amour », « rêve », « pour toujours ». Oui, il n'y a pas si longtemps, tous ces termes nous représentaient tellement ! Mais là... Tout à coup, je me trouve complètement ridicule. Dans un accès de rage, j'arrache les photos et je les déchiquette. Je les lance ensuite dans la corbeille près de mon bureau et vais m'effondrer sur mon lit.

Comment a-t-il pu me faire ça ? Je pensais qu'il m'aimait. Il disait que lui et moi, c'était pour toujours, peu importe les événements que la vie mettrait sur notre route. Maintenant, je vois bien que tout ça n'était que de la foutaise, qu'il me mentait. Je le déteste ! C'est fini ! Oui, voilà ! C'est fini entre nous ! Qu'il n'aille surtout pas s'imaginer qu'il va pouvoir venir ramper à mes pieds pour me demander pardon.

Ma mère est furieuse. Elle a appelé mon père et il est en route. D'habitude, rien ne le fait partir avant la fin de son quart de travail. Mais là, il a fait exception pour « ce cas de force majeure », comme l'a dit ma mère. À l'heure qu'il est, toute la famille est probablement au courant de ce qui vient de se produire. Ma mère est une vraie pie, incapable de garder la moindre information pour elle. Bonjour la discrétion !

Bien sûr, je suis punie. Je suis privée de sortie pour deux mois et elle m'a enlevé ma guitare. Elle sait que ça me fait bien plus de tort qu'être privée de mon téléphone cellulaire ou de mon ordinateur portable. Tiens, j'entends justement mon ordi qui émet un bruit. Une alerte Skype requiert mon attention. C'est mon frère. J'accepte l'appel et quelques secondes plus tard, son visage apparaît dans la fenêtre. Il saute directement dans le vif du sujet.

— Qu'est-ce qui s'est passé ?

Qu'est-ce que je disais ? Il est déjà au courant…

— Tu t'es battue ?

Là, son air est inquiet. Il a probablement remarqué ma lèvre enflée.

— Quoi, maman ne t'a pas déjà tout raconté dans les moindres détails ?

— Non, elle a juste mentionné que t'avais été suspendue et que je devrais communiquer avec toi « pour essayer de te faire raisonner » et « savoir si tu as agi sous l'influence d'une quel-conque substance illicite ».

— Ben, oui, je me suis battue !

— Toi ?! *What the*… !

— Patrick me trompe, Luc.

Il devient tout à coup plus sérieux.

— Comment le sais-tu ?

J'expire bruyamment avant de lui expliquer.

— Ariane m'a dit que Patrick passait beaucoup de temps avec une autre fille et qu'ils se faisaient de petites attentions. Quand je suis allée confronter la fille en question, elle a fait allusion au fait qu'elle… qu'elle avait couché avec Patrick!

Je le vois qui réprime un sourire.

— Hé! Y a rien de drôle là-dedans! J'pense pas que tu trouverais ça amusant que j'me mette à rigoler si tu me confiais qu'Annie te trompe!

— Non, non, c'qui me fait rire, c'est que tu te fies à des ouï-dire et ceux d'Ariane en plus. T'es plus intelligente que ça, Leïla!

Mon frère n'a jamais vraiment aimé Ariane ou plutôt, certains de ses comportements. Il a toujours trouvé qu'elle n'était qu'une trouble-fête et parano par-dessus le marché. Il dit qu'elle voit constamment des menaces là où il n'y en a pas, raison pour laquelle elle s'imagine un tas d'histoires farfelues. Il exagère. Ariane a simplement un esprit analytique très, très, trèèèèèèès développé qui fait en sorte qu'elle considère tous les paramètres d'une situation donnée, incluant les aspects plus désagréables, avant de se prononcer… Bon… Je dois quand même avouer qu'il lui arrive de se perdre dans ses fabulations complètement loufoques. Par contre, je sais qu'elle ne prendrait jamais cette situation à la légère et qu'elle accumulerait le plus de preuves possible avant de statuer, car elle doit savoir à quel point ce qu'elle m'a raconté risque d'avoir des impacts importants sur ma vie. Je l'ai dit! Ariane, c'est mon ange gardien! Jamais elle ne m'aurait révélé quoi que ce soit si elle n'était pas certaine de ce qu'elle avance. D'un autre côté, peut-être que Luc a raison, qu'Ariane a tout imaginé, qu'elle interprète mal et que toute cette situation n'est qu'un malentendu. Elle peut être tellement méfiante, des fois ! Par contre, en repensant à la pointe que Nancy m'a lancée, je doute qu'il ne se soit rien passé entre eux. Aaaaaaaaah ! Je déteste toutes ces suppositions ! Elles vont me rendre folle !

– La meilleure façon de tirer cette histoire au clair, c'est d'en parler avec Patrick. S'il t'aime vraiment, il te dira la vérité.

Quoi ? C'est tout ?!? C'est ça, sa phrase magique qui est censée me réconforter et me faire passer une bonne nuit de sommeil ? Dans quel mauvais film d'ados mon frère pense qu'il joue en ce moment ? Je l'adore et je souhaiterais vraiment qu'il soit à mes côtés en ce jour difficile, mais cette réplique-là, il aurait pu la garder pour lui. Me voilà confuse. Je promets à Luc que je tenterai d'y voir plus clair avec Patrick dès le lendemain, avant de lui souhaiter bonne nuit. Mais je n'ai pas envie de le faire, parler avec Patrick. Je me dis que si Nancy et lui n'avaient rien à se reprocher, elle n'aurait pas agi comme elle l'a fait. Entre Patrick et moi, c'est foutu. Demain, je vais lui dire que nous deux, c'est terminé. Devant tout le monde de préférence, juste pour lui faire honte.

Je me cale dans mon lit avec mon portable et mon cellulaire quand je me rends compte que je n'ai pas parlé avec Ariane depuis ce qui s'est passé. En regardant l'écran de mon téléphone, je vois sept appels manqués. Évidemment, aucun n'est de Patrick. Malgré ça, je suis certaine qu'il sait ce qui s'est passé. Les nouvelles vont vite à l'école. Quoi qu'il en soit, je décide de rappeler Ariane. Peut-être qu'elle aura de nouvelles informations à me fournir. Après à peine une sonnerie, elle décroche.

– Leïla ! Tes parents ont dû te massacrer !

– Pas encore. Ma mère ne m'a pas parlé de toute la route du retour, puis quand on est arrivées à la maison, elle m'a dit : «Un jour, Leïla, il va falloir que tu cesses de créer de la bisbille au sein de cette famille.» Tu te rends compte ? Selon elle, c'est moi la cause de tous leurs problèmes dans leur petite vie parfaite !

– Laisse-la faire ! Les parents pensent tous la même chose.

Je déteste la manière dont Ariane minimise toujours les choses blessantes que mes parents me disent. Pour elle, c'est sans importance. Mais c'est facile quand on a des parents qui nous adressent la parole pas juste pour nous réprimander. Elle ne sait pas ce que c'est, avoir des parents qui ne comprennent rien à rien à leur fille de quinze ans. Elle ne sait pas non plus à quel point ça me blesse de constater que pour eux, je ne suis qu'une source de problèmes. Elle continue :

– Le plus important, c'est ce que t'as l'intention de faire en ce qui concerne Patrick.

– J'sais pas… Mais je pense que lui et moi, c'est fini… L'as-tu vu pendant le reste de la journée ?

– Entrevu seulement. Il y avait tout le temps du monde autour de lui et c'est évident qu'ils parlaient de ce qui s'est passé ! Quant à Nancy, ses parents sont venus la chercher et je te jure qu'ils ne se sont pas gênés pour lui foutre une baffe devant tout le monde ! Monsieur Lamotte leur a crié qu'ils n'avaient pas le droit de la frapper et ils lui ont répondu qu'il n'avait pas à leur dire comment élever leur fille !

– Cool ! Elle a dû avoir la honte de sa vie !

— Ouais…

Un court silence s'installe entre nous et je la sens mal à l'aise à l'autre bout du fil.

— Tu… t'es certaine que c'est fini entre Patrick et toi ? Je sais que j'ai dit qu'il était un imbécile et tout, mais j'veux pas non plus que…

— T'inquiète pas pour moi, Ari. Ça va aller… En tout cas, je vais me coucher.

— OK, on se voit demain à la dernière période ?

— Comme d'hab. Bye.

On dirait qu'un vide énorme a pris la place au milieu de ma poitrine, là où il y avait un cœur. J'ai envie de pousser un long cri, mais il se bloque dans ma gorge et m'étouffe. Je suis complètement vidée. Physiquement, mais surtout émotionnellement. Je ne pensais jamais descendre si bas.

J'entends des pas dans le couloir. Je reconnais le martèlement. C'est mon père et il n'a pas l'air content. D'habitude, avant d'entrer dans ma chambre, il frappe à la porte. Ce soir, il ne se donne pas cette peine.

— Leïla Anne Desrochers !

Quand mon père s'adresse à moi en m'appelant par mes deux prénoms et mon nom, je sais tout de suite que je suis dans le trouble.

— Leïla Anne Desrochers, répète-t-il. Je suis profondément déçu. Tu sais comment je me suis senti quand ta mère m'a appelé pour me dire que tu t'étais battue à l'école pour une histoire de garçon ? Ton comportement est un déshonneur, loin d'être la manière dont les Desrochers se comportent ! Je…

Il ne voit même pas mes yeux rougis par les larmes, mes joues empourprées par ma crise de nerfs. Le voilà engagé dans un discours impersonnel sur la manière dont une jeune fille de mon âge – et une Desrochers, ne l'oublions pas ! – est censée agir. Plutôt que de subir son blabla, je m'imagine dans mon bus de tournée géant.

Je suis assise à une grande table en bois massif, en train d'écrire les paroles de ma nouvelle chanson qui sera assurément un hit. *Celle-là s'appelle* Not Listening To You. *Mon* band *et moi nous rendons dans la prochaine ville inscrite sur notre itinéraire de tournée, New York, pour un méga* show *dans Central Park.*

Lorsque finalement nous sommes sur place, il y a une horde de fans en furie qui crient mon nom. « Leïla ! Leïla ! Leïla ! » Ils m'aiment, je le sens. Pour ma musique, mais aussi pour ce que je suis. Un de mes fans brandit même une pancarte sur laquelle est écrit en grosses lettres « Leïla, marry me ! ».

Les portes de l'autobus s'ouvrent enfin. Je prends une grande inspiration et plonge parmi ces milliers d'admirateurs complètement hystériques à ma seule vue. Après avoir serré je ne sais combien de mains, pris une dizaine de photos et signé au moins une centaine d'autographes, je monte sur scène pour offrir le spectacle de ma vie. Lorsqu'ils applaudissent à tout rompre, je souris, émue. Le spectacle est terminé ! Demain, je serai de retour et en forme pour offrir une autre performance légendaire.

*Je me dirige vers l'arrière-scène pour me rendre à ma loge,
l'esprit léger comme une plume. Je m'installe confortablement sur
le sofa quand j'entends du bruit provenant de la garde-robe. Prise
de peur, je saisis une de mes sandales Jimmy Choo en me disant que
le talon me servira d'arme. Un fan se serait-il introduit en douce ?
La main tremblante, j'ouvre la porte. Qui je trouve, bras croisés et
l'air mauvais ? Mon père.*

– *Papa ? Mais qu'est-ce que tu fiches ici ?*

Retour à ma réalité. Je suis loin de Central Park. Ce serait
bien mieux que d'être ici. En tout cas, mon père a presque fini
son discours.

– Nous n'avons pas été assez sévères avec toi. Le temps des
passe-droits est terminé. Demain, tu vas à l'école et tu reviens
ici rapido presto. On se comprend bien, jeune fille ?

Je hoche la tête.

– Je prends ça aussi, ajoute-t-il.

Il se penche pour ramasser mon téléphone cellulaire et mon
ordinateur portable. Je ne proteste même pas.

– Des fois, je me demande ce que j'ai fait pour mériter une
fille pareille, soupire-t-il avant de claquer la porte derrière lui.

Je ne suis pas la fille que tu aurais voulue ? Rassure-toi, tu es
loin d'être le père que je voulais !!! Si je pouvais choisir une autre
famille, je le ferais ! Je la déteste ! Il se passe des choses majeures
dans ma vie, en ce moment ! J'ai le cœur brisé et personne n'a
pris le temps de s'arrêter pour me demander comment ça allait

ou comment j'encaissais le coup! Bande de gros nombrils! Je fixe la porte que mon père vient de claquer et lui adresse un furieux doigt d'honneur. J'en ai marre de ma vie.

Le lendemain matin, au terme d'une nuit agitée, je me lève difficilement pour me rendre à l'école. J'ai passé la nuit à penser à mes derniers mois avec Patrick, pour tenter de comprendre à quel moment j'avais commis une erreur. Chaque fois, à mon grand désarroi, j'en suis arrivée à la même conclusion : si j'avais eu des relations sexuelles avec mon chum, rien de tout ça ne serait arrivé. Aujourd'hui, nous serions heureux et peut-être encore plus complices.

En considérant tout ça, je me dis que peut-être que je devrais lui donner une autre chance. Peut-être qu'il regrette ? Peut-être que nous devrions nous expliquer ?

Après m'être sommairement préparée, je descends au rez-de-chaussée. Chose inhabituelle, la maison est plongée dans un silence presque complet. Sophie mange ses céréales en regardant les dessins animés à la télé. Mes parents sont tous deux installés à la table de la cuisine. Mon père lit le journal et ma mère mange des toasts. On dirait qu'ils m'ignorent volontairement. Je passe au frigidaire pour me prendre un jus de fruits. Toujours aucune considération de leur part. Cette fois, ils ne me demandent pas de venir m'asseoir pour déjeuner avec eux. Personne ne m'appelle «ma petite puce» non plus. Me semble que je l'aurais bien pris, ce matin. Cette atmosphère lugubre me donne froid dans le dos. Je réalise que j'ai vraiment déçu mes parents et je me surprends à regretter – juste un peu – mon comportement d'hier. Même si j'avais mes raisons ! Peut-être que si je leur expliquais, ils comprendraient ?

– Papa ? Maman ?

Ni l'un ni l'autre ne réagit, mais je persévère.

– Je voulais vous dire que je m'excuse pour hier. C'est que…

– C'est que quoi ? fulmine mon père en baissant subitement son journal. Rien ne justifie que tu te battes comme un chat de ruelle !

– Papa, laisse-moi t'expliquer, tu vas tout comprendre ! Hier, Ariane m'a dit qu'elle avait vu Pat…

– Il suffit, Leïla ! Peu importe ce que tu as à me raconter, je ne veux pas l'entendre !

– Mais attends ! Donne-moi au moins une chance de t'expliquer !

– Je n'ai pas de temps à perdre avec tes enfantillages. Je dois aller travailler, lâche-t-il sèchement en se levant pour prendre ses clés sur le comptoir.

– Maman ! je crie pour qu'elle vienne à ma rescousse.

Mais elle reste là et continue de manger ses fichues toasts. Le téléphone sonne et elle se lève pour répondre, comme si rien ne s'était passé. Ça me brise le cœur. Je me rends compte que mes parents et moi sommes bien plus loin les uns des autres que je ne le croyais. Nous sommes devenus des étrangers qui n'ont plus qu'une chose en commun : le toit sous lequel ils vivent.

– C'est ça ! Laissez donc faire ! Vous comprenez jamais rien de toute façon !

Je claque la porte à mon tour. Je suis sidérée par la froideur avec laquelle mes parents m'ont traitée. Il fut un temps où ma mère aurait au moins demandé à mon père d'écouter ce que j'avais à dire pour ma défense, mais maintenant ce qui se produit dans ma vie ne les intéresse plus. Pourtant, il s'en passe des choses, et des pas faciles ! C'est là, maintenant, tout de suite, qu'ils devraient s'en faire pour moi et m'offrir un peu d'écoute et de soutien. Ils sont déçus de mon comportement ? Et moi, je suis pas déçue d'eux, peut-être ?

Je me sens tellement seule ! Si seulement Luc était là…

À l'école, je tente de me faire remarquer le moins possible, même si ça fonctionne plus ou moins bien. En marchant dans les couloirs, j'ai l'impression que tout le monde me regarde. Tout le monde est en train de se dire que c'est moi la fille qui s'est battue avec Nancy Gentil. Tout le monde est en train de se dire que c'est moi la fille qui se fait tromper par son chum parce qu'elle ne lui donne pas ce qu'il veut. La honte ! Je suis devenue la risée de la place et même le plus *nerd* des *nerds* de l'école doit être heureux de ne pas être à ma place en ce moment. Certains ne font que rire sur mon passage tandis que d'autres, plus téméraires, me lancent des choses comme « frigide » ou « pas déniaisée ». Alors, je ferme les yeux, je fais abstraction d'eux et fredonne les paroles d'une de mes chansons, *I Wish I'm Gonna Be OK*, pour couvrir leurs insultes.

Je n'ai pas vu Patrick de la journée. C'est sans aucun doute relié à toute cette histoire. Je hais cette situation. Plus que jamais, j'ai besoin de ma meilleure amie, mais elle participe à un championnat de maths tout l'avant-midi. Une chance que je la vois à la dernière période ! Finalement, à bien y penser, une soirée pyjama ne serait pas de refus.

En descendant les escaliers qui mènent à ma classe d'histoire, je passe en revue les films que je pourrais aller louer au club vidéo. En arrivant en bas, au moment où je vais pousser les portes, j'aperçois Nancy et Patrick plongés dans une discussion animée. Ils n'ont pas l'air content du tout. Je m'avance un peu pour entendre ce qu'ils se disent, en m'assurant qu'ils ne me repèrent pas. Mon cœur bat à une vitesse folle.

— Pourquoi tu lui as dit ça ? Ça va pas bien dans ta tête ou quoi ?

— Qu'est-ce que tu voulais que j'fasse ? Elle avait juste pas à se pavaner devant moi en se vantant que vous formiez le petit couple parfait ! siffle Nancy.

— T'aurais pas pu inventer une histoire comme n'importe qui l'aurait fait dans une situation pareille ?

Je vois rouge feu. Patrick est en train de lui dire qu'elle aurait dû mentir ? Qu'elle aurait dû tenir sa grande gueule ? Depuis combien de temps ça dure dans mon dos, tout ça ?

— C'est quoi, l'affaire ? dis-je en m'avançant vers eux.

Ils sursautent et s'arrêtent net de parler. Ils ne s'atten-daient sûrement pas à me voir là, pendant qu'ils mettent les choses au clair. Un peu plus et je les surprenais en train de se faire des cajoleries ! Nancy me lance un regard mauvais. Si elle voulait détruire mon couple pour mettre le grappin sur Patrick, c'est mission accomplie. Ma seule consolation, c'est qu'elle est vraiment monstrueuse avec son arcade sourcilière enflée.

— Ce n'est pas c'que tu penses, Leïla !

— *Fuck you*, c'est pas c'que j'pense ! Ça crève les yeux que t'as couché avec elle parce que moi j'me respecte assez pour attendre le bon moment pour ma première fois !

Tout le monde nous écoute, mais je m'en moque. Je viens de confirmer officiellement et publiquement que je suis vierge, mais je m'en balance.

— Ça n'a pas rapport ! Je... j'ai même pas couché avec elle ! bégaye-t-il.

— Tais-toi, sale menteur ! Tais-toi ! J'veux plus jamais te voir, Patrick Roberge, jamais !

Je me mets à courir en bousculant tout le monde sur mon passage. Tout mon corps est secoué de sanglots incontrôlables. Je ne me retourne pas pour voir si Patrick me court après pour tenter de me faire entendre raison ou pour voir si Nancy et lui s'embrassent tellement ils sont heureux de s'être débarrassés de moi. Je veux juste ne plus être ici. D'ailleurs, je ne sais pas si je vais avoir la force de revenir...

PARTIE 2

Le bonheur est mielleux et inattendu

3

Vingt-deux heures sept minutes. Je ne pensais pas qu'il était déjà si tard. Il y a longtemps que je devrais être à la maison. Mais qu'est-ce qui m'attend là-bas exactement? Un chum aimant et fidèle? Des parents prêts à m'accueillir les bras ouverts et à écouter mes tracas d'ado de quinze ans? C'est bien ce que je disais. Rien ni personne.

Après ce qui s'est passé ces deux derniers jours, je ne sais pas si je vais trouver la force de retourner à l'école. Je n'aurais jamais dû crier comme ça devant tout le monde que je suis vierge. Au départ, je m'en contrefichais, mais maintenant, je me rends compte que c'était stupide de ma part. À l'heure qu'il est, tout le monde est probablement en train de se foutre de ma gueule sur Facebook. Ils doivent tous rigoler à fond, et à leur place, je ferais pareil.

Pour ce qui est de mes parents, je suis certaine qu'ils n'en ont rien à faire que je ne sois pas là. Ils ne doivent même pas s'en rendre compte. De toute manière, la seule chose dont je suis capable, c'est les couvrir de déshonneur, comme dirait mon père. Je suis loin d'être comme Luc ou Sophie, parfaite. Un brillant avocat en devenir ou une ballerine angélique qui n'embête pas ses parents tous les jours avec des histoires abracadabrantes. Je ne suis qu'une ombre à leur tableau parfait et je suis fatiguée de sentir que je ne *fit* pas parmi eux.

J'ai décidé de me rendre le plus loin possible de chez moi. Si j'étais restée dans mon coin, question de décompresser un peu, j'aurais fini par tomber sur une personne que mes parents connaissent, qui m'aurait posé un million de questions pour savoir ce que je faisais là en plein avant-midi, hors des murs de l'école. Je n'ai donc pas pris de risque et j'ai attrapé le premier bus qui m'a amenée jusqu'à Terrebonne. De là, j'ai pris la ligne 19, qui menait vers Laval. Pour finir, j'ai pris le métro, direction centre-ville de Montréal. Une longue route d'au moins deux heures, mais c'était nécessaire pour passer inaperçue dans la foule.

J'ai longtemps niaisé dans les centres commerciaux. Au départ, c'était drôle de faire tous les magasins et de rêver à ce que je pourrais m'offrir sans l'aide de papa et maman. Une jolie paire de bottes de chez Browns ou encore une trousse de maquillage professionnel de chez MAC. Maintenant, je suis fatiguée et tout est fermé à l'heure qu'il est. Alors que j'avais réussi à m'abrutir une bonne partie de la journée pour ne pas repenser aux derniers incidents, ils refont maintenant surface, comme les *flash-back* minables d'un film de série B. Les mots d'Ariane, la bataille, le discours du directeur et de mes parents, leur manière de m'ignorer et la discussion dont j'ai été témoin entre Patrick et la princesse haïtienne. En mettant tous ces morceaux ensemble, ça fait un méchant mauvais rêve. En deux jours, ma vie a été chamboulée de A à Z et tous mes repères ont disparu.

Et c'est bien beau cette décision de ne pas retourner chez moi – pour le moment, en tout cas –, mais je n'ai plus personne. Plus de chum, pas de meilleure amie à mes côtés… En parlant de meilleure amie, il faudrait au moins que j'appelle Ariane, juste pour lui dire que je vais bien. Elle doit s'inquiéter de ne pas m'avoir vue à la dernière période, comme d'habitude. Bof, on verra ça plus tard… J'ai faim. Le wagon de métro dans lequel je me trouve depuis moins de dix minutes s'arrête justement à la station Berri-UQAM. Je vais descendre ici, tiens.

En me dirigeant à l'extérieur, je me dis qu'après avoir mangé, il faudra que je pense à un endroit où dormir. Mais où ? C'est pas comme si on se posait ce genre de question tous les jours, hein ? Une fois, à l'école, la direction nous a remis un petit bottin dans lequel on pouvait trouver des ressources auxquelles faire appel en cas de problème. Il y avait des adresses pour les jeunes en fugue ou en difficulté, mais je ne me souviens pas du nom de ces organismes. J'avais feuilleté cet annuaire d'un doigt distrait pour ensuite le ranger au fond de mon pupitre, certaine qu'il ne me servirait jamais. Aujourd'hui, pourtant, il me serait vraiment utile. Il faut dire que je ne pensais jamais qu'un jour ce serait moi, l'adolescente en fugue. Mais il y a beaucoup de choses que je ne pensais pas possibles et, à ma grande surprise, elles sont toutes arrivées, et en même temps en plus.

En marchant dans la rue Saint-Denis, j'ai l'impression que je vais m'autodigérer lorsque j'aperçois enfin un petit café. Je vais directement au comptoir et me commande un sandwich à la salade de poulet et un café. La place étant presque déserte, je peux aller m'installer au fond, près d'une trappe d'où sort une chaleur réconfortante. J'ai froid.

En croquant à belles dents dans mon sandwich, je sors mon portefeuille de mon sac pour compter l'argent qu'il me reste. À peine vingt-trois dollars. Je n'irai pas loin avec ça. Je ne peux pas m'offrir une chambre d'hôtel, même la plus minable. Ma situation n'aurait pas été si dramatique si j'avais pris mes économies, qui m'auraient servi à m'acheter une nouvelle guitare. J'en ai pour au moins six cents dollars. Mais il faut dire que je n'avais pas l'intention de mettre les voiles non plus, tout est arrivé si vite. J'aurais dû penser à mon affaire aussi avant de me lancer les yeux fermés ! Pendant un instant, je suis prise d'un sentiment de panique. Qu'est-ce que je suis en train de faire ? Est-ce que je prends la bonne décision ? Est-ce que tout ce qui s'est passé mérite vraiment que je parte loin de chez moi ?

Même si mes parents me font royalement chier, je leur portais quand même une certaine estime avant. Mais aujourd'hui, je l'ai complètement perdue. C'est comme si notre relation ne voulait plus rien dire pour moi. Alors, pourquoi retourner à la maison ? Pour me chicaner constamment avec mes parents ? Et pourquoi retourner à l'école ? Pour supporter les regards moqueurs dans les corridors ? Non merci !

Je chasse ces idées de ma tête et me concentre sur mon sandwich. Au bout de trois ou quatre bouchées, je me dis que je devrais en garder une partie pour plus tard. Je ne pourrai pas me permettre d'en acheter un aussitôt que j'aurai une fringale. Je le range donc dans son emballage.

Encore une fois, je suis prise d'une peur que je ne connaissais pas auparavant. En fait, j'avais repoussé dans ma tête cette idée, mais là, elle revient, plus pressante que jamais. Mon cœur s'emballe et je suis prise de nausées. C'est désagréable comme sensation. Où vais-je dormir ? Je n'avais jamais eu à me poser ce genre de question avant. Je n'avais qu'à me rendre à mon lit pour m'y installer confortablement, point. Là, les choses sont différentes. J'ai déjà vu des gens dormir sur des bouts de trottoir, dans des boîtes de carton ou dans des stations de métro. Mais je ne suis pas folle. Je sais que ce ne serait pas super prudent pour une fille comme moi. Je ne serais jamais capable de me défendre si on m'attaquait pour vrai. Mais qu'est-ce qu'il me reste comme choix ? Je pourrais aller chez Ariane ? Non, ses parents avertiraient les miens dans le temps de le dire. Je suis à court d'options. Il ne me reste plus qu'à marcher pour voir si je peux trouver un endroit potable où m'installer pour la nuit.

Après une vingtaine de minutes de marche, je tombe sur le square Saint-Louis. Je prends place sur un banc vide qui donne directement sur la fontaine gigantesque du parc. Dès que je pose mon sac près de moi, je sens une énorme pression descendre tout le long de mon corps pour aller se loger dans le sol. Les difficultés des deux derniers jours viennent de me quitter d'un coup, on dirait, pour aller embêter quelqu'un d'autre. Ça me fait du bien, même si je sens encore, sous mes paupières, un tour-billon de larmes qui ne demandent qu'à prendre d'assaut mes joues. Tout ce qu'il me reste à faire, c'est me reposer. Demain, je devrais y voir plus clair. Sur ce banc, j'ai presque le senti-ment d'être en sécurité. Le fait qu'il y ait un trafic constant dans les allées du parc me rassure. En cas de besoin, je pourrai crier à l'aide. Ce banc, il est à moi, juste pour ce soir. Personne ne pourra me l'enlever.

FILLE À VENDRE

Je prends mon sac à dos, le place de manière à ce qu'il soit confortable en tapant dessus et y pose ma tête. Il me servira d'oreiller. C'est fou comment mes yeux se ferment vite.

4

Ça fait maintenant vingt-quatre heures que Leïla n'est pas rentrée à la maison. Elle est partie hier matin, à sept heures quarante-cinq. Il est présentement neuf heures quarante-sept, le lendemain. Je n'arrive pas à croire que son père soit quand même allé travailler. Il pense qu'elle est simplement en colère contre nous parce que nous lui avons confisqué toutes ses choses et qu'elle est partie dormir chez Ariane. Mais je sais très bien que même si Leïla avait demandé à la mère de son amie de ne pas appeler, celle-ci l'aurait fait quand même, juste pour me rassurer. Cependant, personne ne m'a téléphoné pour me dire que ma fille dormait paisiblement chez eux. J'ai l'horrible pressentiment que toute cette situation est plus sérieuse et que Leïla n'est pas simplement furieuse contre nous. Ce n'est pas dans ses habitudes de réagir de la sorte. Au pire, elle serait rentrée à la maison et elle nous aurait traités avec indifférence, mais elle ne serait jamais partie comme ça, sans nous donner de nouvelles. Elle n'aurait jamais fugué.

J'ai appelé tous ceux dont le nom m'est passé par la tête. Ses tantes, son oncle Martin qu'elle adore, ses amis... Ariane ne sait rien non plus. Elle avait l'air plutôt ébranlée au téléphone lorsque je lui ai dit que Leïla n'était pas rentrée, ce qui me porte à croire qu'elle ne m'a pas menti. J'ai appelé son frère Luc aussi, car je me suis dit que peut-être elle avait décidé d'aller le rejoindre à Québec, mais il n'a eu aucune nouvelle de sa part. J'espère de tout cœur que c'est là qu'elle se rend. Luc a promis de me tenir au courant.

J'ai aussi appelé la police, vers minuit trente, quand je me suis rendu compte qu'elle ne rentrait pas. Ils m'ont dit qu'ils ne pouvaient prendre aucune déposition avant que ça ne fasse vingt-quatre heures qu'elle a supposément disparu. Peut-être avait-elle tout simplement décidé de traîner avec ses amis après l'école pour ensuite aller dormir chez l'un deux, ont-ils suggéré. J'ai eu beau tenter de leur faire comprendre que ce n'était pas dans ses habitudes, ils n'ont rien voulu entendre. Ils m'ont sommée de rappeler lorsque ça ferait vingt-quatre heures qu'elle aurait disparu. Alors voilà. Ma fille n'est pas rentrée à la maison et ça fait plus de vingt-quatre heures. J'ai appelé il y a environ une demi-heure et ils m'ont demandé de me présenter au poste de police le plus près de chez moi pour rencontrer un enquêteur. Assise en attendant la personne qui, je l'espère, me lancera qu'elle sait où est ma fille pour avoir vu des centaines de cas semblables, je tente de calmer mon cœur qui bat avec démesure.

Près d'une heure plus tard, un homme à la tignasse grise vient me chercher dans la salle d'attente et se présente comme étant l'inspecteur Langevin. Il n'est pas trop tôt! Je pensais que, dans les cas de fugue, chaque minute comptait!

Il m'invite à entrer dans son bureau et à m'asseoir sur une chaise en face de lui. Après m'avoir expliqué la manière dont il fonctionne en cas de fugue – numéro de dossier, heures et numéros de téléphone pour le joindre –, il commence son interrogatoire.

— Bon, alors, votre fille manque à l'appel depuis…

– Un peu plus de vingt-quatre heures.

– Qu'est-ce qui vous fait croire qu'elle est en fugue ?

– Eh bien, il y a deux jours, elle s'est battue à l'école, et son père et moi l'avons punie… Je crois que ça avait rapport avec son copain et…

– Avez-vous remarqué s'il manquait certains de ses effets personnels ?

– Non, rien que je sache. Elle n'a même pas pris ses économies. Elle…

– Êtes-vous entrée en contact avec ses amis, la famille, les parents de ses amis, la direction de l'école ? me coupe-t-il.

– Oui. Personne n'a eu de ses nouvelles. Sa meilleure amie m'a dit qu'elle ne l'avait pas vue à la dernière période de la journée. Son professeur a confirmé la même chose à la direction.

– A-t-elle un cellulaire ?

– Oui, mais nous le lui avons confisqué après ce qui s'est passé et…

– Très bien. Que portait-elle lorsqu'elle a quitté la maison ?

– Je… Je ne sais pas…

Aussitôt, des larmes se mettent à jaillir sur mon visage. Comment puis-je ne pas être au courant de ce que ma grande fille portait avant de partir pour l'école ? Pourquoi n'ai-je pas pris quelques minutes pour la regarder ? Qu'avons-nous fait ? Pierre et moi avons été tellement déroutés par le comportement de Leïla que nous l'avons traitée avec insensibilité ! Elle a tenté de s'expliquer et nous avons bêtement refusé de l'entendre, comme si sa version des faits n'avait aucune importance. Que doit-elle se dire à notre propos en ce moment ? Probablement que nous sommes les pires parents du monde, et elle n'aurait pas tort. Notre fille a crié à l'aide et nous l'avons ignorée.

Il a dû se passer quelque chose de majeur dans sa vie pour qu'elle en arrive à se battre. Leïla est une enfant difficile, c'est vrai. On n'a qu'à penser au nombre de fois où elle a fait des coups pendables à l'école. Aux innombrables retenues. Aux convocations dans les bureaux de la direction. Mais jamais, j'en suis convaincue, elle n'en serait venue aux coups. J'ai manqué un épisode, c'est clair, mais lequel ? Et maintenant, voilà qu'elle manque à l'appel. Le pire cauchemar de tout parent…

— Je comprends à quel point ça peut être dur pour vous, madame Desrochers. Mais nous allons tout mettre en œuvre pour retrouver votre fille saine et sauve.

Tandis que je sèche frénétiquement mes larmes, je me dis que tous mes espoirs de retrouver ma fille reposent désormais entre les mains de cet homme.

5

Une lumière aveuglante me réveille. La lumière du jour. J'ai laissé les rideaux ouverts ? Pourquoi est-ce que j'ai si froid ? Ma couverture doit probablement avoir glissé au sol, comme ça arrive souvent. Je suis frigorifiée. Je me redresse en me frottant les yeux avec vigueur et regarde autour de moi. Comme dans un rêve d'où j'émerge à peine, des bruits de klaxon et de conversations se mêlent indistinctement aux cris des oiseaux. Je vois un écureuil courir et tout à coup, ça me revient. Tout me retombe dessus subitement, comme si je recevais une douche glacée. Hier, mon monde s'est complètement écroulé. Puis j'ai dormi sur un banc de parc.

C'est quand même étrange ce que je suis en train de vivre. Est-ce que je suis bien réveillée ? Je me pince violemment le bras. Aïe ! Oui, ce moment fait bien partie de ma réalité...

Il est encore tôt. Des gens marchent d'un pas rapide. Ils s'en vont sûrement travailler. Alors qu'ils circulent la tête baissée en pensant à la journée qui s'annonce pour eux, personne ne se doute un instant que je viens de passer ma première nuit sur un banc de parc. Tout le monde se moque bien du drame qui se déroule dans ma vie. Chacun est absorbé par ses propres problèmes, concentré sur son petit nombril. Ce sentiment d'être tout à coup si seule au monde remplit mes yeux de larmes. Qu'est-ce que je donnerais pour une épaule sur laquelle pleurer et quelqu'un pour m'écouter! Je secoue la tête. Non. Ressaisis-toi, Leïla! Tout ira bien, tu verras.

Au moment où je me lève et m'étire tout en bâillant, un chien s'avance vers moi en courant. C'est un beau berger allemand brun et noir; on dirait que c'est encore un bébé. Il me regarde avec un air piteux, alors je me penche pour lui caresser gentiment la tête. Aussitôt, il se met à agiter la queue dans tous les sens et à me lécher les mains. Je pose un genou au sol et lui demande s'il est perdu. Soudain, j'entends quelqu'un crier le nom «Tyson» à plusieurs reprises. Lorsque je relève la tête, un gars se dirige vers moi. De toute évidence, mon nouvel ami s'appelle Tyson et son maître le cherche. Ma première réaction est de lisser mes cheveux, qui sont probablement en bataille. Vraiment parfait comme scénario pour rencontrer un gars qui, de loin, a l'air vraiment canon: je ne ressemble à rien et j'ai l'haleine du matin!

— Hé, merci d'avoir attrapé mon chien! Sa laisse m'a échappé! dit l'inconnu, le souffle un peu court.

— Je l'ai pas attrapé... Il est juste venu me voir!

— Merci pareil! Il est encore jeune, donc ça lui arrive de pas m'écouter, lance-t-il en caressant énergiquement la tête de son chien. Pas vrai, Tyson?

FILLE À VENDRE

Wow! Il est vraiment beau! Le maître de Tyson, je veux dire. Il est plus vieux que moi. Au pif, comme ça, je dirais vingt-vingt-deux ans. J'espère qu'il ne remarquera pas que je suis loin d'avoir son âge. De toute façon, pourquoi s'intéresserait-il à moi? Je dois tellement faire dur en ce moment! Pendant que je suis en train d'avoir cette discussion avec moi-même, je réalise que «le beau gars au chien» m'observe d'un œil attentif. Je me sens rougir.

— J'ai vu que tu dormais sur le banc tantôt pendant que je promenais Tyson… Est-ce que ça va? me demande-t-il.

— Ouais, ça va, c'est juste que… en tout cas, c'est compliqué, je déclare avec un rire faible.

— Je comprends, y a des jours plus difficiles que d'autres… Moi, c'est Jonathan, en passant.

— Leïla! dis-je en serrant sa main.

Sa peau est chaude et douce, sa main est solide, rassurante. (Il me rappelle mon grand frère.) Aussitôt, je vois un ami en lui.

— Enchanté, Leïla! Qu'est-ce que t'as l'intention de faire maintenant?

— Euh… Je vais probablement aller déjeuner.

Il semble hésiter, puis il propose:

— Si tu veux, je t'accompagne! Encore mieux, je t'invite, tiens! Ce serait une manière de te remercier d'avoir rattrapé mon chien. Ça te tente?

Mes parents m'ont toujours dit de ne pas suivre les étrangers, donc je me demande si je devrais accepter sa proposition. En même temps, son attention et son intérêt me réconfortent. Il ne sait rien de moi, mais il doit se douter que si j'en suis venue à dormir sur un banc de parc, c'est du sérieux. Sa demande me réchauffe le cœur.

— Ouais… OK, mais seulement si ça te dérange pas.

— Pourquoi ça me dérangerait d'emmener une belle fille en détresse déjeuner ?

Il me fait un clin d'œil, ce qui amène un sourire instantané sur mes lèvres. Les choses vont déjà mieux ! Environ quinze minutes plus tard, Jonathan et moi sommes attablés devant un bon déjeuner bien chaud pendant que Tyson nous attend à l'extérieur. Le café brûlant qui coule dans ma gorge me fait énormément de bien.

Jonathan et moi parlons de tout et de rien quand, finalement, je lui raconte la raison pour laquelle j'ai passé la nuit dans le parc. Il m'écoute attentivement et je vois tout de suite que mon récit l'intéresse. C'est loin d'être dans mes habitudes de me confier à des inconnus, mais il a su me mettre à l'aise dès les premiers instants. Je ne me sens pas jugée.

Dans la partie de l'histoire impliquant Nancy, il a semblé intrigué et m'a demandé plus de détails à son sujet. Lorsque j'ai mentionné qu'il s'agissait de Nancy Gentil, il s'est exclamé qu'il la connaissait et qu'elle avait fait un sale coup du genre à une de ses amies. J'aurais dû me douter qu'elle n'était qu'une voleuse de chum ! Jonathan n'arrivait pas à croire qu'elle avait encore fait un coup du genre à quelqu'un d'autre.

Ça m'a quand même surprise qu'il connaisse Nancy. Le monde est bien trop grand pour qu'il sache de qui je parle, me suis-je dit, mais compte tenu de la description qu'il m'en a faite, il n'y avait plus aucun doute dans mon esprit. Une fille absolument prétentieuse, mais surtout, croyant que tout lui est permis. Ce sont définitivement les meilleurs mots pour décrire cette princesse des ténèbres. Enfin, quelqu'un de mon côté !

– Et toi… euh… est-ce que tu penses que c'est ce qui est arrivé ? Que Patrick est vraiment tombé entre ses griffes ?

Même si je me suis consacrée à détester Patrick au cours des derniers jours, je souhaiterais que tout redevienne comme avant, que tout ça ne soit qu'un mauvais rêve.

– J'pense que oui ! Sinon, il n'aurait pas réagi comme ça. En plus, Nancy est capable d'hypnotiser n'importe quel pauvre type sur qui elle tombe… Tu sais, y en a qui sont plus stupides que d'autres. Certains font attention à ce qui leur est précieux, d'autres pas, fait-il en me fixant intensément.

C'est gentil de sa part de tenter de me remonter le moral, mais il est trop tard. Patrick m'a brisé le cœur en mille morceaux. Je le hais ! Je ne lui parlerai plus jamais, c'est certain ! D'un autre côté, même si toute cette histoire pèse lourd sur mon cœur, ce n'est pas mal non plus de se faire réconforter par un beau gars comme Jonathan.

L'heure tourne et nous continuons de discuter comme si nous nous étions toujours connus. Jonathan m'explique qu'il a vingt et un ans et qu'il travaille comme représentant au service à la clientèle pour une boîte de télémarketing. Il possède son propre appartement, depuis environ quatre mois. Pour lui aussi, l'entente avec ses parents était assez difficile; il a donc décidé de partir afin de préserver un semblant de relation avec eux. Du même coup, il a dû abandonner le cégep, par manque de fonds, mais il m'a affirmé avoir la ferme intention d'y retourner dès qu'il aurait économisé assez d'argent. Il veut devenir journaliste. C'est son rêve le plus cher depuis qu'il est tout jeune et, même si ses parents l'ont découragé de suivre cette voie, il a l'intention de tenir bon et de leur prouver qu'ils avaient tort. Mes parents aussi ont toujours été peu enthousiastes à l'idée que la musique soit mon choix de carrière. À leurs yeux, la musique n'est qu'un passe-temps, pas une manière sérieuse de gagner sa vie. À moins de vouloir être professeure, comme maman, vaut mieux arrêter d'y penser. Selon eux, je devrais plutôt me concentrer sur mes études afin de décrocher plus tard un emploi qui me permettra de vivre convenablement. Mais c'est tellement plate comme plan de vie! Moi, la musique, c'est ce qui me donne le goût de me lever le matin! C'est ma passion! Jonathan m'a dit qu'il comprenait tout à fait ce que je voulais dire, car pour lui, le journalisme avait le même effet. C'est fou comment je suis capable de me reconnaître en lui et lui en moi! Et on se connaît depuis quelques heures à peine!

De fil en aiguille, en continuant de parler de musique et de nos artistes favoris, Jonathan me dit qu'il connaît une fille qui a déjà travaillé à MusiquePlus. Elle s'appelle Annick et a aidé plusieurs artistes à lancer leur carrière. Il ajoute qu'elle ne travaille qu'avec les plus talentueux. Il m'a lancé que si j'étais sérieuse par rapport à la musique, il me la présenterait, mais à une condition: que je me lève, là, tout de suite, devant tout le monde, pour chanter une de mes compositions. Sur le coup, je n'en revenais pas qu'il me fasse une telle proposition, mais voyant la chance en or derrière cette demande, j'ai relevé le défi ! J'ai utilisé la table pour marquer le rythme et j'ai chanté, en fermant les yeux et avec toute mon âme. Quand j'ai eu terminé et que j'ai rouvert les yeux, Jonathan me regardait avec admiration. Il s'est écrié que j'étais une chanteuse hors pair avec une voix de rossignol. Les quelques clients qui étaient attablés autour se sont mis à applaudir et je les ai salués, comme si j'étais en représentation. Quand je me suis enfin rassise, le sourire fendu jusqu'aux oreilles, il m'a dit qu'il allait me présenter à son amie. Ce serait vraiment trop top ! Je pourrais enfin réaliser mon rêve ! Au bout du compte, je ferais ce que j'aime et je pourrais montrer à tous ces imbéciles de l'école et à mes parents ce dont je suis capable. Ils n'auraient plus le choix de me respecter après ça.

Un silence rempli de bonne humeur s'installe entre Jonathan et moi. Puis Jonathan reprend :

– Pour changer de sujet un peu, si je comprends bien, tu n'as pas l'intention de retourner chez toi, c'est ça ? dit-il sur un ton plus sérieux.

Voilà ! Il fallait qu'il pète ma bulle. Je pensais à ma carrière qui est sur le point de prendre une envolée foudroyante et à toutes les belles choses que nous avions en commun… et il me parle de retourner là-bas. Je réfléchis un peu avant de lui répondre.

– Je… je suis pas sûre de c'que je devrais faire. Et passer la nuit sur un banc de parc, ce n'est pas une expérience que j'ai envie de répéter… D'un côté, j'me dis que ça donnerait une bonne leçon à mes parents si je rentrais pas à la maison, de l'autre, je pense que je devrais essayer d'affronter tout le monde. J'aime bien avoir mon confort aussi…

— Je comprends, c'est pas une décision facile à prendre. On n'est pas obligés de penser à ça pour le moment, émet-il en posant une main réconfortante sur mon avant-bras. En attendant, qu'est-ce que tu dirais qu'on sorte d'ici pour profiter de la journée ? Plus tard, tu verras bien ce que t'as envie de faire.

Tandis qu'il m'adresse un sourire compatissant – et magnifique –, je me surprends à penser à quel point il est attirant. Tout me semble facile avec lui. Il est tellement charmant ! C'est fou ce qu'il dégage. Alors, pourquoi ne pas passer la journée avec lui au lieu de broyer du noir ? Pour le moment, s'il y a bien une chose dont j'ai envie et besoin, c'est de m'amuser.

— Je pense que c'est une excellente idée !

Jonathan me promet de me faire passer la plus belle journée possible et il tient parole. Tout en nous promenant dans les rues du Vieux-Montréal, nous discutons de tout et de rien, prenant le temps de nous découvrir davantage l'un l'autre.

La noirceur est tombée depuis longtemps lorsque je regarde ma montre. Il est presque vingt-trois heures. Jonathan pousse un long soupir et me demande :

— J'imagine qu'on en est à ce point où tu ne sais pas ce que tu vas faire ?

— Ouais…

Il fait la moue, comme s'il se doutait de la décision que j'allais prendre.

— Je vais rentrer chez moi. J'ai assez fait suer mes parents comme ça…

— Je sais que c'est le meilleur choix pour toi, mais je dois avouer que j'aurais aimé qu'on passe plus de temps ensemble, avoue Jonathan, le regard triste. C'est pas la porte d'à côté, Mascouche !

Ses paroles me touchent beaucoup. Je sens qu'il m'apprécie et je dois dire que c'est réciproque. On a passé un super moment ensemble ! Bon, me voilà en train de douter de ma décision…

— On pourrait quand même garder contact, non ? s'enquiert Jonathan. Qu'est-ce que t'en penses ?

Je voudrais lui sauter au cou, mais je me retiens. Sa proposition me réjouit au plus haut point ! Même si j'y avais songé, je n'osais pas lui proposer, de peur qu'il me trouve complètement ridicule. Après tout, c'est pas parce qu'un gars rend service à une fille qui fait pitié dans le parc qu'il veut nécessairement devenir son ami.

Je hoche la tête en rougissant, incapable de parler.

— Cool.

Jonathan fouille dans sa poche pour en sortir un crayon à l'encre indélébile. Puis il prend délicatement ma main gauche et y inscrit son numéro de téléphone.

— Si jamais tu sens que la pression est trop forte avec tes parents ou Patrick, et que tu as besoin de parler, appelle-moi. À n'importe quelle heure du jour ou de la nuit, d'accord ?

Encore une fois, je hoche la tête, en serrant contre mon cœur la main où est inscrit son numéro de téléphone.

FILLE À VENDRE

Jonathan m'appelle un taxi et nous l'attendons en silence. En moins de deux, il arrive et je prends place pendant que Jonathan, à mon grand étonnement, donne quatre billets de vingt dollars au chauffeur. Qu'est-ce qu'il est galant ! Il se penche ensuite à ma fenêtre.

— N'oublie pas. Tu peux m'appeler quand t'en as envie, même si c'est juste pour jaser.

— D'accord.

Lorsqu'il pose ses lèvres sur ma joue, je ferme les yeux pour mieux apprécier ce moment. Puis, comme dans un film, il recule et le taxi se met en marche. Je le regarde encore par la fenêtre arrière du taxi, mais il s'éloigne déjà, Tyson trottant docilement à ses côtés. Je regarde ensuite vers l'avant et redoute, le cœur gros, ce qui va bientôt s'abattre sur moi.

— Mais qu'est-ce qui t'a pris, qu'est-ce qui t'a pris ?!?

Je reste de glace pendant que ma mère me prend les épaules et me secoue comme un cocotier. Ma joue est en feu.

Quand je suis rentrée, je ne m'attendais pas à ce qu'elle soit au rez-de-chaussée. Par contre, lorsque j'ai pénétré dans le salon, je l'ai trouvée endormie sur le sofa avec une tasse de thé froid devant elle. Je me suis avancée doucement vers elle et j'ai posé ma main sur son épaule pour la réveiller. Elle a sursauté, puis elle m'a regardée comme si j'étais une apparition divine.

On aurait dit qu'elle n'en croyait pas ses yeux. Dans un sens, ça m'a fait mal de la voir ainsi, complètement défaite et les yeux rougis par les larmes. Je me suis sentie horriblement mal et je me suis mise à pleurer. Elle s'est levée, comme au ralenti, pour me prendre dans ses bras. À ce moment-là, je me suis sentie si près d'elle ! Tout à coup, je m'en voulais terriblement de ce que j'avais fait. On a pleuré comme ça, dans les bras l'une de l'autre, pendant une seconde et quart, jusqu'à ce qu'elle m'écarte d'elle et vlan, me colle une claque sur la gueule. Je savais que ça ne durerait pas…

Sortie de nulle part, la voix grave et sévère de mon père s'élève, couvrant les cris nerveux de ma mère qui ont repris de plus belle. Dans le brouhaha, j'entends des pleurs qui viennent de l'étage. Sophie s'est réveillée. Franchement, quel accueil ! Mon père somme ma mère d'aller s'occuper de Sophie et elle me regarde une dernière fois, des traînées de mascara maculant son visage. La rage, la peine et la déception, tout à la fois, habitent son regard. Elle monte ensuite rapidement les escaliers et j'entends une porte claquer et les pleurs de Sophie cesser.

Mon père reste là et me fixe sans rien dire. Comme d'habitude, je suis plus ou moins capable de déchiffrer son expression. Il s'assoit et se laisse aller contre le dossier du sofa. Il soupire, met ses mains sur son visage et le frotte rudement.

— Est-ce que ça va ? Tu n'es pas blessée ?

— Non.

— As-tu réussi à manger et à dormir un peu ?

— Oui.

– Très bien. Va prendre une douche, tu sembles en avoir besoin. Nous reparlerons de tout ça demain matin.

– Tu ne travailles pas ?

– Non, je vais faire une exception. File.

Je n'ose pas ajouter un mot et monte l'escalier plus vite que je ne l'ai jamais fait. J'ouvre la porte de ma chambre à la volée et m'y enferme. Qu'est-ce que ça fait du bien d'être en territoire connu ! Je dépose mon sac sur le sol et vais directement à mon bureau pour y trouver de quoi écrire. Je regarde dans le creux de ma main : le numéro de téléphone de Jonathan y est toujours lisible. Je le retranscris sur la feuille et la cache dans le tiroir de mon bureau.

Ariane et moi sommes assises sur mon lit et mon amie me serre dans ses bras depuis une bonne dizaine de minutes, refusant de me lâcher. Je crois qu'elle s'est ennuyée de moi et inquiétée aussi. À sa place, j'aurais probablement été dans le même état. Je profite de chacune de ces secondes entre les bras de ma meilleure amie en remerciant le ciel de l'avoir dans ma vie. Ce matin, très tôt, je l'ai appelée pour lui dire que j'étais de retour à la maison. Dès qu'elle a su, elle s'est précipitée pour me faire une visite éclair.

– Faut plus jamais que tu me fasses une peur pareille, Leïla ! J'ai vraiment cru que je te reverrais jamais plus !

– Ne dis pas de bêtises !

– Non, c'est vrai ! J'ai tellement angoissé pour toi !

– Arrête ! L'important, c'est que j'vais bien !

– T'as raison ! Mais pourquoi t'es partie ?

– Bof, je suis tombée sur Patrick et Nancy qui se chicanaient, et il lui demandait pourquoi elle n'avait pas menti lorsque j'ai fait allusion à ce qu'il y avait entre eux.

– *Shut up !* C'est grave ! J'te l'avais dit, Patrick, c'est un con !

– Je sais…

– Mais qu'est-ce que t'as fait pendant tout ce temps ?

Ah ! Voilà la partie que je brûlais de lui raconter ! Je vais enfin pouvoir parler de Jonathan !

– Mercredi soir, j'ai dormi dans un parc. Dans le square Saint-Louis !

– *What !* Ça fait tellement libre, genre citoyen du monde !

– Si tu le dis ! j'affirme en balayant son commentaire de la main. Ce n'était pas si pire que ça, tu sais ! Le lendemain, quand je me suis réveillée, je suis tombée sur un gars ! Jonathan. Il est tellement beau, mais, surtout, vraiment super, hyper gentil ! On a passé la journée ensemble et c'était tellement parfait ! Ensuite, on est allés manger et quand je lui ai dit que je devais rentrer chez moi, il était tellement triste ! Et… (je me lève pour me rendre à mon bureau et j'ouvre mon tiroir) il m'a donné son numéro de téléphone !

Ariane m'arrache le papier des mains, la mâchoire quasiment au plancher. De toute évidence, elle envie l'histoire totalement romantique et surnaturelle que je viens de lui raconter. Quelles auraient été mes chances de tomber sur quelqu'un comme lui ? Vraiment minces et j'ai l'impression d'avoir gagné le *jack pot* !

– *Oh my God !* Tu vas le rappeler ?

– Quelle question ! C'est sûr ! lui dis-je en lui reprenant précipitamment le papier des mains comme s'il s'agissait du dernier trésor de la terre.

– Est-ce que vous vous êtes embrassés ?

– Non… mais j'aurais tellement voulu ! Je te jure, Ariane, à côté de lui, Patrick c'est la pâle copie d'un homme ! Lui, il était tellement attentionné, tellement doux, tellement gentil, tellement… Ouuuf !

Je me laisse tomber sur mon lit, rêveuse, les bras en étoile.

– Et tes parents ? Est-ce qu'ils sont au courant de tout ça ?

– T'es pas bien ! S'ils me demandent où j'étais, je dirai simplement que j'ai erré dans Montréal. Mon père a été forcé d'aller à l'hôpital pour quelques heures ce matin, mais il va revenir sous peu, pour me donner la punition du siècle, c'est sûr. Ça m'étonne d'ailleurs que ma mère t'ait laissée venir me voir.

À cet instant, on frappe à la porte et ma mère entre, sans même attendre que je lui en donne la permission. Je cache discrètement sous mon oreiller le papier sur lequel est inscrit le numéro de Jonathan.

— Ariane, il est temps que tu partes. Le père de Leïla est de retour et nous devons lui parler.

— OK, madame Desrochers. Bye Leïla, on se voit lundi à l'école, dit-elle en me serrant une dernière fois dans ses bras.

Elle sort de ma chambre en glissant vers moi un regard d'encouragement. Quelques instants plus tard, mon père fait irruption à son tour dans ma chambre. Sans dire un mot, il prend la chaise de mon bureau et l'installe devant mon lit où je suis toujours assise. Ma mère reste debout.

— Ta mère et moi avons longuement discuté et nous considérons que quelles que soient les raisons qui t'ont amenée à partir pour toute une nuit sans nous en avertir, nous ne le tolérerons pas. Nous n'accepterons plus aucun écart de ta part. Ton horaire ira désormais comme suit : tu te lèves, ta mère t'amène à l'école et elle reviendra te chercher. Tu fais tes devoirs, tu te couches. Plus de cellulaire, plus d'Internet – à moins que tu en aies besoin pour l'école, preuves à l'appui – et plus de télévision. Pour ce qui est des fins de semaine, tu feras du bénévolat à l'hôpital en travaillant dans les cuisines. Tu commences demain.

Je proteste, stupéfiée.

— C'est pas un peu exagéré, tout ça ?

— On récolte ce qu'on sème ! répond cette fois ma mère.

— *Whatever !* dis-je en la fusillant du regard, furieuse.

– Change de ton avec ta mère, Leïla. C'était la goutte qui fait déborder le vase. Il va falloir que tu apprennes de tes erreurs.

– Et c'est pour combien de temps? dis-je en poussant un soupir et en croisant les bras sur ma poitrine.

– Un mois en plus des deux autres que ta mère t'avait déjà donnés. Et on se fera un plaisir d'en ajouter si tu ne fais pas ce qu'on te demande, comme on te le demande.

– Trois mois de ce régime? C'est beaucoup trop!

– C'est une décision irrévocable, Leïla.

Sur ces mots, mon père se lève, signe que la conversation est close et sans appel. Ma mère lui emboîte le pas en faisait claquer ses talons sur le plancher. C'est officiel. Je les déteste!

6

Travailler dans les cuisines de l'hôpital, c'est dégueulasse. Je dois vider les assiettes qui sont pleines de restes de nourriture et souvent, aussi, pleines de papiers souillés de trucs que je n'ose même pas imaginer. Comment est-ce que je vais faire pour supporter cette situation pendant trois mois – peut-être même plus, si l'idée chante à mes parents? Non, tout ça, c'est de l'abus de pouvoir parental. Encore une fois, ils n'ont même pas pris le temps de m'écouter. Tout ce qui les intéresse, c'est de me contrôler et de me faire tenir tranquille. Je suis tellement en colère qu'en déposant une assiette dans le bac rempli à ras bord, celui-ci tombe sur le sol.

La chef de la « plonge » se met à gueuler, furieuse.

– Encore! C'est le deuxième que tu renverses! T'as les mains pleines de pouces ou quoi? Va donc prendre une pause, empotée! Tu reviendras quand tu seras capable de faire un travail aussi simple!

S'il y a une chose que je déteste par-dessus tout, c'est qu'on me crie dessus. Les larmes aux yeux, je sors des cuisines et me réfugie dans la salle des employés. Je décide d'appeler Jonathan. Je garde son numéro de téléphone sur moi. C'est peut-être stupide, mais j'ai l'impression que, de cette manière, il est partout avec moi. Je suis contente que la salle soit vide en ce milieu d'après-midi. Ça me donnera l'occasion de parler sans avoir l'impression d'être espionnée.

– Allô ?

– Jonathan ? C'est moi, Leïla. On s'est rencontrés il y a deux semaines au…

– Hé, Leïla ! me coupe-t-il aussitôt. Ben voyons ! Pas besoin de me dire qui t'es, bien sûr que j'me souviens de toi !

– Je pensais que tu m'avais peut-être oubliée…

– Impossible ! reprend-il. J'ai beaucoup pensé à toi ces derniers temps. Alors, comment ça se passe, ma toute belle ?

– Plus ou moins bien, en fait. Mes parents m'ont vraiment donné la pire punition du monde. Ils se sont surpassés !

– Ils veulent t'empêcher de vivre ta vie. C'est classique. Mes parents faisaient pareil avec moi. Les parents sont tous les mêmes. Ils n'ont qu'un seul but : nous contrôler.

– J'imagine que t'as raison…

– Si tu veux, on pourrait se voir.

– J'adorerais, mais mes parents me tiennent la bride serrée…

— T'en fais pas, ma belle, on trouvera bien un moyen. Je dois y aller pour le moment. On se parle bientôt, d'accord ? Rappelle-moi dès que t'en sens le besoin.

— Merci, Jonathan. Vraiment.

Je raccroche à contrecœur. Le pas lourd, je retourne dans les cuisines en souhaitant être avec Jonathan plutôt qu'ici.

— Ça fait un mois que ça dure, Ariane ! Un mois ! J'en peux plus ! Les seuls moments où je peux voir du monde autre que ma supposée famille, c'est à l'école et là encore ! À part toi, y a plus personne qui me parle à cause de ce qui s'est passé ! C'est pas une vie, ça !

— Je pensais vraiment qu'après ton comportement exemplaire des derniers jours, tes parents t'auraient donné un peu de lousse, mais ils n'ont pas l'air de vouloir te lâcher !

— Je ne vais pas pouvoir tenir bien longtemps, Ari. C'est trop pour moi. Si seulement Luc était là !

— Mais je suis là, moi !

— Je sais…

— Est-ce que t'en as parlé, à Luc ? reprend-elle comme si je n'avais pas perçu dans sa voix le fait que mes propos l'avaient heurtée.

– On s'en est parlé brièvement. Il avait pas le temps… Il m'a promis qu'il me rappellerait, mais ça fait trois jours maintenant. Trois jours ! Tu te rends compte ! Quel genre de frère ferait ça à sa sœur qui a besoin de lui ?

– Tu sais autant que moi que son programme est demandant… T'en fais pas, Leïla, ça va finir par passer…

– Ça fait un mois, Ari, et même les élèves de secondaire 1 me niaisent avec cette histoire ! En plus, Patrick me harcèle parce qu'il veut s'expliquer, même si je lui répète que je ne veux plus rien savoir de lui ! Je n'aurais jamais dû revenir !

– Dis pas ça, Leïla. Parle-moi ! Je suis là, j'te répète !

– Ben, faut croire que c'est pas assez pour rendre ma vie meilleure !

Sur ces mots durs, je cours me réfugier dans les toilettes. Je ne voulais pas blesser Ariane. J'espère qu'elle va comprendre que si je lui ai parlé de cette manière, c'est à cause de tout ce qui se passe en ce moment dans ma vie. Une chance, à travers tout ça, il y a Jonathan, avec qui je parle tous les jours.

La porte des toilettes s'ouvre soudain avec fracas, me tirant de mes pensées. Je me garde bien de faire du bruit et remonte les jambes, de peur qu'on sache que je suis là en train de pleurer comme une fillette.

Plusieurs voix s'élèvent et, parmi elles, je reconnais celle de Nancy Gentil. Mon cœur se met à faire des bonds saccadés.

— Depuis le temps, j'pensais que Patrick et toi, vous seriez ensemble, dit une fille.

— Ouais, moi aussi, mais il est encore sur le cas de cette Leïla. Me semble que c'est clair : si une fille veut pas coucher avec toi, ça veut juste dire qu'elle t'aime pas assez !

— Toi, t'en as aimé plein de gars, dans ce cas-là ! renchérit une autre.

Elles se mettent à rire à l'unisson.

— En tout cas, les filles, je peux vous confier un truc ? Quand j'ai couché avec Patrick, ouh ! il savait exactement comment s'y prendre ! C'était évident que c'était pas la première fois qu'il couchait avec une fille.

— Ah oui ?

— Ouais ! Il a même dit quelque chose comme : «Leïla a peut-être un beau corps, mais si tu ne peux pas y toucher, il ne sert à rien !»

Non ! Non ! S'il vous plaît ! Tout, mais pas ça…

Mon cœur se soulève et je plaque ma main sur ma bouche pour m'empêcher de vomir. Patrick m'a donc menti sur toute la ligne ! Non seulement il m'a trompée avec Nancy, mais avec d'autres aussi ! J'ai le vertige. Je me lève sans plus me soucier qu'elles pourraient m'entendre et plonge la tête dans la cuvette pour dégobiller un liquide au goût acide.

— Ewwwww ! Qui est là ? s'écrie Nancy.

Je ne réponds pas, mais je sais que, tôt ou tard, je vais devoir sortir de la cabine. Telle que je la connais, elle est bien capable de m'attendre toute la journée s'il le faut. Elle crie de nouveau, mais cette fois, ses copines martèlent la porte de leurs poings. J'ouvre d'une main tremblante, sachant que je n'ai aucun moyen de leur échapper. Mais, au point où j'en suis, rien ne pourrait me faire plus mal que ce que je viens d'apprendre.

— Ah ben! Si ce n'est pas le laideron! se moque méchamment Nancy.

Les larmes inondent mes joues, mais je ne réagis pas à son insulte.

— Ouache! Elle est pleine de vomi!

— Moi aussi, j'me vomirais dessus si j'apprenais que mon chum préfère toutes les autres filles!

C'en est trop. Leurs rires s'élèvent comme un écho venu de loin. Cette fois, n'écoutant que mon intuition, j'ouvre la bouche et pousse un cri de la mort. J'en peux plus. Vraiment. Le régime de vie stricte que mes parents m'imposent, le «bénévolat à l'hôpital», les insultes, le regard des gens, leurs rires dans mon dos et maintenant ça. Le hurlement qui monte de mes tripes semble sans fin.

Je me sauve à la course avec une seule idée en tête: sortir de l'école. Pour de bon. Je ne reviendrai jamais.

FILLE À VENDRE

– Leïla, Leïla, qu'est-ce qui se passe ? Pourquoi tu pleures ?

– J'en… peux… j'en peux plus ! Faut… viennes me chercher ! S'il te plaît ! S'il… te plaît… T'avais… raison… viens me chercher !

Les fois où j'ai pleuré si intensément, je peux les compter sur les doigts d'une seule main. Chaque mot que je dis est entrecoupé de violents sanglots.

– OK, ma belle. Chut, ça va aller. Où es-tu ?

– Téléphone public… tout près de l'école…

– Le prochain autobus qui passe, il t'amènerait où ?

– Terminus… de… Terre…bon… ne…

– OK, ma belle. Voilà c'que tu vas faire. Tu sautes dans le prochain autobus qui s'en va vers Terrebonne et je serai là à ton arrivée. Dans combien de temps penses-tu y être ?

Je regarde ma montre à travers mes larmes.

– Qua… Quarante-cinq minutes…

– C'est bon… Monte dans cet autobus sans regarder en arrière. Je vais m'occuper de toi, ma belle. À tantôt.

Jonathan et moi sommes dans les bras l'un de l'autre et nous ne bougeons pas d'un poil depuis au moins une bonne dizaine de minutes. Il a essayé à quelques reprises de se défaire gentiment de mon étreinte, mais je n'ai pas voulu qu'il me lâche. J'ai tant besoin de son réconfort, de sa chaleur ! Pour tout oublier. Il me fait tellement de bien !

Je consens finalement à me dégager pour le regarder et me perdre dans ses yeux, loin, très loin de tout ce qui vient de se produire.

— On y va ? dit-il doucement en repoussant une mèche de cheveux derrière mon oreille.

— Oui, je suis prête.

Jonathan ne me pose pas de questions sur ce qui s'est passé. Il me tient gentiment la main et conduit de l'autre. Nous roulons pendant une trentaine de minutes avant de nous arrêter devant un immeuble d'appartements du centre-ville de Montréal. Je suis Jonathan jusqu'à l'appartement 212. Dès qu'il ouvre la porte, Tyson s'élance à notre rencontre en agitant joyeusement la queue. Je me penche pour le flatter, heureuse de le revoir malgré les événements.

Quand je porte finalement mon attention sur les lieux, je suis bouche bée. L'endroit, magnifique, est à aire ouverte. On dirait un de ces apparts *glamour* que j'ai vus dans les magazines de décoration de ma mère. Jonathan me guide dans le couloir. Il me montre sa chambre puis la « mienne », qui est tout près de la salle de bains. Elle est simple, avec une commode à miroir, un lit et une table de nuit. Je n'en reviens tout simplement pas. Comme ça, sans un mot, il vient de m'offrir d'habiter ici. Il a compris que, cette fois, c'est pour de bon, je ne regarderai plus en arrière. Dans les circonstances, ça me semble tout naturel et, sans trop me poser de questions, j'accepte. Je le remercie en souriant tristement :

— Tu sais pas c'que ça signifie pour moi ce que tu fais là.

Je me laisse tomber sur le grand sectionnel de cuir brun et il vient s'installer près de moi.

Mes lèvres tremblent et des larmes menacent de couler de nouveau. Jonathan place tendrement un bras autour de mes épaules.

— Allez, souris un peu, ma belle ! T'es ici chez toi maintenant et ce n'est certainement pas moi qui vais te dire quoi faire.

— Tu sais, je pourrai pas te payer de loyer ou quoi que ce soit… Je ne travaille pas et…

— Je sais très bien que t'es dans une situation difficile, en ce moment ! Laisse faire l'argent. On va commencer par t'installer et on verra le reste plus tard, OK ?

— Wow… J'en reviens pas que tu fasses tout ça pour moi.

Je baisse la tête tellement j'éprouve de la reconnaissance envers ce gars que je connais depuis peu, mais qui sait me faire sentir chez moi. Il est si attentif, si généreux ! En peu de temps, il a tout de suite su ce dont j'avais besoin. Qu'on m'écoute et qu'on me considère comme une adulte, mais surtout qu'on ne me juge pas. C'est capoté comment ça peut me faire du bien d'avoir enfin l'attention et la compréhension dont j'ai tant besoin. Je décide que Jonathan mérite mieux que ma déprime. Il ne doit pas regretter de m'avoir prise chez lui après mon cri du cœur.

— Hé, tu sais quoi ? dis-je d'un ton un peu plus enjoué. Puisque je vais vivre ici maintenant, je vais avoir besoin de certains trucs essentiels !

— C'est vrai, j'y avais pas pensé ! De quoi aurais-tu besoin ?

— De quelques vêtements et d'un nécessaire de toilette pour commencer.

— Parfait, on pourrait aller au centre commercial à deux pas d'ici.

Jonathan et moi nous dirigeons vers les Promenades Cathédrale. Je n'ai pas une tonne d'argent sur moi, environ vingt-cinq dollars, donc après seulement quelques achats, il ne me reste plus grand-chose. Le plus naturellement du monde, Jonathan propose :

— Pourquoi est-ce que tu ne me laisserais pas t'acheter ce qu'il te faut ?

— Ben non, Jonathan ! Je peux pas accepter ça en plus ! Tu m'accueilles déjà chez toi et tu ne me demandes même pas de loyer !

— Allez, ça me fait vraiment plaisir ! Ça me rend heureux d'avoir une coloc aussi gentille et jolie ! Vois-le comme un cadeau…

FILLE À VENDRE

Je lui saute au cou, emballée par sa générosité. Sans faire attention aux étiquettes de prix, il me prend des sous-vêtements, deux paires de jeans et quelques t-shirts.

Vers dix-sept heures, lorsque nous revenons à l'appartement, Jonathan m'annonce qu'il ne pourra pas rester très longtemps, car il doit aller travailler. J'en profite pour explorer mon nouvel environnement plus en profondeur. Je m'amuse même à sauter sur mon lit, comme je le faisais lorsque j'étais enfant. Le souffle court, je m'affaire ensuite à ranger mes vêtements dans le petit meuble près de la fenêtre. Puis je décide d'appeler Ariane pour lui donner de mes nouvelles.

– Salut, Ariane, c'est moi !

– Leïla ! Où est-ce que t'es encore ? crie-t-elle littéralement dans mes oreilles.

– Chut, il ne faut pas qu'on sache que je t'ai parlé !

– Pourquoi ? Qu'est-ce qui se passe ? Où es-tu, Leïla ? Je ne t'ai pas vue du reste de la journée, chuchote-t-elle cette fois.

– Je vais bien, t'inquiète.

Je prends une grande inspiration et lui dis :

– J'ai levé les feutres, ma vieille. Pour de bon.

– Quoi ? s'écrie-t-elle, catastrophée. Mais qu'est-ce qui te prend ? Tu t'arranges vraiment pour que tes parents t'envoient au couvent ?

— Après tout ce qui s'est passé, j'ai besoin de temps pour réfléchir et…

— Mais où es-tu? D'où m'appelles-tu? Ton numéro n'apparaît pas sur mon afficheur!?

J'hésite un peu à lui donner cette information. Pas parce que j'ai peur qu'elle joue au panier percé, mais parce que je sais qu'elle m'en voudra d'être partie, encore, sans lui en avoir parlé, et parce que je me suis réfugiée chez Jonathan. Même si je lui ai souvent parlé de lui, il demeure un étranger pour elle – pour moi aussi, dans un certain sens, mais si elle avait été à ma place, je suis certaine qu'elle aurait fait pareil.

— Chez Jonathan, finis-je par lui dire.

— Quoi?!

— Je l'ai appelé et il est venu me chercher. Je…

Elle me coupe d'une voix aiguë:

— Je pensais jamais que tu referais une fugue! Je sais que Luc te manque, que tu te sens seule et tout, mais… Ça me fait vraiment de la peine que tu me parles plus autant qu'avant. J'étais sûre que si tu te poussais encore tu m'en parlerais ou… que tu voudrais que je parte avec toi!

C'est quoi, le problème? Pourquoi elle ramène ça à elle? Ça n'a rien à voir, pourtant!

— C'est pas à propos de toi, Ari! J'ai besoin d'un *break*! Tu devrais comprendre, après tout ce qui s'est passé! Promets-moi que tu diras rien à personne. Je te donnerai des nouvelles le plus souvent possible, d'accord ?

Elle ne dit rien. Je sais qu'elle y pense et je sais aussi qu'elle pourrait très bien décider de me vendre si l'idée ne lui plaît pas. Je croise les doigts.

– OK, lâche-t-elle finalement. À une condition.

– Laquelle ?

– Que tu me dises tout !

Ouf ! Je peux enfin respirer !

J'ai tout raconté à Ariane. Maintenant, je pense qu'elle me comprend mieux. Elle ne voulait pas l'avouer, mais je suis sûre qu'elle aimerait être à ma place. Pas juste parce que je manque les cours, mais aussi parce que je suis libre et que je suis tombée sur un gars comme Jonathan. C'est sûr, elle n'a pas pu s'empêcher de me faire un *speech* sur les dangers d'avoir suivi un gars que je connais *à peine*. Elle m'a même dit que ce n'était pas très intelligent de ma part ! J'ai fait comme si je n'avais rien entendu. Par contre, elle a dû admettre qu'il a vraiment été très gentil de m'accueillir comme ça chez lui. Elle m'a quand même recommandé de rester sur mes gardes, ce que je lui ai promis.

Il est vingt-trois heures trente quand je vais enfin me coucher. Jonathan n'est toujours pas de retour. Je me glisse sous les couvertures et reste assise un moment à observer mon nouvel environnement. C'est tellement différent de chez moi! Je ne peux m'empêcher de me demander ce que font les membres de ma famille. D'habitude, à cette heure, ma mère fait la tournée des chambres avant d'aller elle-même se coucher. Même si je *sais* que personne ne viendra voir si je suis bien bordée, je me surprends à attendre que ma mère entrouvre ma porte. Encore plus étonnant, je me surprends à me questionner. Et si je me trompais? Et si je n'étais pas prête à mener cette vie d'adulte? Et si mes parents regrettaient? Et Patrick dans tout ça? Ces questions et un million d'autres à l'esprit, je pose la tête sur l'oreiller et mes yeux commencent à se faire lourds.

Je suis réveillée par le bruit de l'eau qui coule dans la salle de bains. Depuis quand papa prend-il un bain à cette heure-là? Je me frotte les yeux. Ah oui, c'est vrai, je suis chez Jonathan et il doit être de retour du travail. Un peu endormie, je me dis que je devrais aller lui souhaiter bonne nuit et le remercier encore de m'avoir accueillie avec tant de gentillesse. Je me lève en traînant les pieds, mais je prends tout de même le temps de me regarder dans le miroir avant de sortir de la chambre. En ouvrant la porte, je me trouve nez à nez avec Jonathan. En une fraction de seconde, je me rends compte qu'il ne porte pas de serviette autour de la taille. Il est complètement nu et ça ne semble pas du tout le déranger! Moi? Je ne sais plus où poser les yeux…

– Salut, Leïla! J'espère que je t'ai pas réveillée?

FILLE À VENDRE

Il passe nonchalamment une main dans ses cheveux humides tandis que j'ai l'impression que mon cœur va s'arrêter tellement je suis embarrassée. Il ne faut pas penser que je n'ai jamais vu de pénis de ma vie. J'ai déjà surpris mon grand frère dans la salle de bains. Et j'ai vu celui de Patrick. Il tenait absolument à me le montrer, pensant que ça me donnerait le goût de lui sauter dessus. Ce n'est jamais arrivé, même si j'ai parfois été tentée de le faire. Mais quelque chose me retenait toujours. Quoi qu'il en soit, en ce moment, je suis pétrifiée. Je lisse une mèche de cheveux derrière mon oreille, faisant semblant d'être relax. Je suis dans la cour des grands maintenant. Pour chasser mon malaise, j'essaie de faire la conversation.

— Ça s'est bien passé à la job ?

— Ouais, super. Et toi, tu t'arranges bien ici ?

— Ouais, tout est parfait !

Je ne sais plus quoi ajouter. Je ne sais plus quoi faire non plus, à part regarder son entrejambe. Un silence vraiment gênant s'installe entre nous.

— Est-ce que ça te gêne de me voir comme ça ?

J'avale ma salive avec difficulté.

— Ben, j'avais un chum, donc, c'est rien de nouveau pour moi.

— Vous avez déjà fait l'amour ? poursuit-il comme s'il s'agissait d'une discussion normale, dans des circonstances normales.

Je ne réponds pas, mais j'ai le feu aux joues. Jonathan me sourit gentiment.

— Excuse-moi, Leïla. Je voulais surtout pas t'embarrasser. C'est juste que c'est difficile pour moi de croire le contraire. T'es tellement jolie.

Je pousse un rire niais.

— Non, non, ça va…

Ne sachant plus trop quoi dire pour me sortir de cette situation, je feins la fatigue.

— Ouf! Je pense que je vais retourner me coucher, je suis crevée! dis-je en émettant un bâillement qui sonne faux.

Jonathan tend soudain la main pour prendre une serviette dans la salle de bains et la place autour de sa taille. Il n'était pas trop tôt!

— OK, on se voit demain alors.

Il se penche vers moi et dépose un léger baiser sur ma joue. Mon corps est saisi d'une bouffée de chaleur surprenante. Après un dernier sourire, je referme doucement la porte derrière moi.

7

Le lendemain matin, je me réveille dans le silence. Et tard. Pas de maman qui crie de me lever, pas de petite sœur qui vient sauter et hurler dans mon lit. Le calme plat. Je pourrais certainement m'habituer à ça.

J'ai rêvé de Jonathan toute la nuit. Pas étonnant après ce qui s'est passé hier soir ! Même si j'étais choquée qu'il soit nu devant moi, je crois que mon subconscient a enregistré autre chose. J'ai rêvé que nous faisions l'amour. Il était tellement doux avec moi. C'était parfait ! À peu près comme LA première fois que je me suis si souvent imaginée. Il y avait des chandelles partout, une lumière tamisée, des roses par douzaines…

Tous ces rêves me donnent des envies. Avant, j'étais gênée juste à l'idée de me masturber. J'ai essayé une fois, mais je me suis fait déranger par ma mère. La honte si je m'étais fait surprendre ! Mais ici, je suis seule… Alors, pourquoi pas ? La sexologue à l'école a tellement dédramatisé la chose en disant que c'était une manière d'apprendre à connaître son corps !…

Lentement, je descends ma main vers mes parties intimes. Alors que je tourne la tête vers ma table de chevet, une fleur blanche me saute au visage. C'est une orchidée. J'ai toujours trouvé cette fleur très élégante. Il y a une carte aussi, sur laquelle sont écrits les mots suivants :

Bon réveil, ma jolie,

J'espère que t'as bien dormi ! Le frigo est plein de bonnes choses pour le déjeuner. Sers-toi. Je travaille à partir de midi. Je devrais être de retour vers dix-neuf heures. Si tu veux, on pourrait aller au cinéma ?

P.-S. : Je t'ai laissé de quoi te faire belle ce soir. Regarde sur la chaise près de la commode.

John xoxo

Il veut sortir avec moi ce soir ? Ma vie pourrait-elle être plus cool en ce moment ? Sûrement pas ! Wow, une vraie soirée en ville ! Pendant une demi-seconde, je me surprends à penser à Patrick. Mais bon, tout ça appartient au passé et, aujourd'hui, j'ai la chance de côtoyer un homme, un vrai.

Je me précipite vers la chaise en question pour y trouver une magnifique robe bleu ciel trrrès moulante. Je la presse contre moi en visualisant la manière dont elle épousera chacune de mes formes. Elle est un peu osée et je me dis que si je l'avais vue en magasin, je n'aurais jamais pensé l'acheter. Cependant, cette fois, c'est un cadeau. Et un cadeau d'un gars super spécial… Comment refuser ? Je souris bêtement en imaginant la belle soirée que nous passerons ensemble.

La journée se déroule très lentement. J'essaie de faire passer le temps en lançant la balle à Tyson. Je me lasse vite de ce petit jeu, contrairement à lui qui me supplie de ses grands yeux bruns de continuer. Je végète ensuite devant la télévision, puis l'ordinateur et, vers quinze heures trente, je commence à me préparer. Ça me prend un temps fou, car j'ai décidé de lisser mes cheveux tout en gardant quelques vagues impertinentes. Avant-dernière étape, je me maquille, comme je l'ai toujours voulu. Cette fois, ma mère ne sera pas là pour me dire que je ne sortirai pas de la maison comme ça, parce que j'en ai trop mis. Pour la finale, je peins mes ongles, rouge feu, avec un vernis que je gardais en permanence dans mon sac à dos. Une fois prête, j'enfile la fameuse robe bleue, qui, j'en suis certaine, fera ressortir mes yeux bruns.

Je suis époustouflée par l'image que me renvoie le miroir. Chacune de mes courbes est mise en valeur. Je continue de me contempler, satisfaite. En ajustant les plis de ma robe, je me rends compte que, depuis un bon moment, je n'ai pas fait de visite dans mon monde inventé où je me vois chanter. C'est vrai que depuis que je suis ici, chez Jonathan, il n'y a pas de quoi s'imaginer ailleurs. Je suis vraiment trop bien ! Je souris à mon reflet.

Dix-neuf heures sonnent finalement. Jonathan prend le temps de se changer et nous voilà prêts à partir. Nous nous arrêtons dans un petit bistro aux allures branchées. Les gens sourient à notre passage. Ils ne se demandent pas ce que je fais ici, à mon âge. Pour eux, je suis à ma place. Je suis simplement une jeune femme qui vient manger au resto avec son chum… heu… son ami! Nous jetons un coup d'œil au menu et après avoir choisi nos plats, Jonathan commande deux pintes de bière blanche. La serveuse m'examine du coin de l'œil. Elle doit se douter que je n'ai pas l'âge requis pour boire, mais elle ne dit rien.

Pendant le repas, je bois trop. Trois bières en tout, mais je ne suis qu'une novice en la matière et je ne tolère pas encore très bien l'alcool. Au final, je n'ai rien vu du film. Je me suis endormie contre Jonathan, sereine et avec le sentiment d'être protégée, comme si plus rien ne pouvait m'atteindre. Avec lui, j'ai l'impression d'être une version améliorée de moi-même.

Une fois sortie du cinéma, je me sens un peu mieux. Il est encore tôt et Jonathan me propose d'aller danser. J'accepte sans aucune hésitation. Ce sera ma première fois dans un club et je ne peux m'empêcher de penser à la tête qu'Ariane fera lorsque je lui raconterai!

Jonathan appelle un taxi et, pendant que nous attendons, il me prend la main. Il me regarde pour voir si ça me dérange, mais à l'expression qui rayonne sur mon visage, il comprend que son geste m'enchante. Je lui souris et il fait pareil. Nous nous engouffrons dans le taxi et nous serrons naturellement l'un contre l'autre. Il place son bras autour de mon épaule et approche son visage du mien. Il me caresse doucement la joue. Je le sens, il va m'embrasser et, avec le rêve que j'ai fait la nuit dernière, je n'ai qu'une seule envie: goûter à ses lèvres. Son souffle chaud me fait frissonner et… son téléphone sonne. Il éclate de rire, mais moi, je suis déçue.

– Allô ! Ouais, salut, comment ça va ? Je suis avec une de mes bonnes amies, dit-il en me regardant. Ouais, elle est vraiment parfaite… On s'en va au Blizzard… OK, venez nous rejoindre ! J'ai des amis qui vont venir passer la soirée avec nous, continue-t-il à mon intention.

– OK, *good*, j'ai hâte de les rencontrer ! fais-je d'une voix mal assurée.

– T'en fais pas. Je suis sûre qu'ils vont te trouver aussi cool que moi. Parfaite, même, conclut-il pour me tranquilliser.

Lorsque le taxi s'immobilise enfin, je devine par la fenêtre une atmosphère survoltée. Wow ! Je me demande ce que ce sera une fois à l'intérieur ! Jonathan se faufile dans la file d'attente et s'arrête à la hauteur de quatre personnes qui discutent bruyamment. Ses amis sans aucun doute. Il me présente donc Shorty, Zenzo, Big Paul et Iza. Ce sont vraiment de drôles de noms – des surnoms, j'imagine. Quant à eux, ils appellent Jonathan Young Gun. Je me surprends à me demander si, moi aussi, j'aurai un *nickname* un jour.

Les présentations faites en bonne et due forme, pendant que les autres discutent de choses et d'autres, moi, je suis distraite par le stress qui monte tranquillement en moi alors que nous attendons pour entrer. Je suis loin d'avoir l'âge légal pour aller dans un club ! C'est sûr que le *doorman* va s'en rendre compte. À cet instant, Jonathan s'étire pour lui glisser quelque chose à l'oreille. Miraculeusement, le *doorman* ouvre la porte et me fait signe d'entrer. J'essaie de cacher mon excitation, mais surtout mon soulagement. J'ai eu chaud !

Dès notre arrivée à l'intérieur, les garçons vont chercher à boire et je reste seule avec Iza. Elle est vraiment belle ! Elle porte des talons hauts vertigineux, une robe clairement hors de prix et des bijoux que je pense avoir vus dans la dernière édition du magazine *Vogue*. Elle n'a pas un poil de travers. En la regardant bien, sous tout son maquillage, elle ne semble pas beaucoup plus vieille que moi. Dix-huit ou dix-neuf ans, pas plus.

Je laisse échapper, avec – je trouve – un peu trop d'admiration dans la voix :

— T'es tellement belle !

— T'es *cute*, merci ! Ça fait longtemps que tu connais Young Gun ?

— Non, pas super longtemps, mais il est vraiment gentil, hein ? Il m'aide beaucoup !

— Ouais, j'imagine. Et tu vas voir, ça ne fait que commencer, dit-elle en me lançant un clin d'œil.

Elle regarde ensuite à droite et à gauche comme pour s'assurer que personne n'écoute et ajoute :

— Je pense qu'il en pince pour toi !

Je n'en crois pas mes oreilles. Je saute intérieurement de joie et fais quelques pas de danse sur place. J'espère que je ne lui parais pas trop enfantine ! À ce moment, les garçons reviennent à notre hauteur, verres à la main. C'est fou tout ce que je vis depuis que je suis auprès de Jonathan ! Et ça ne fait que deux jours !

FILLE À VENDRE

Iza se lance sur la piste de danse avec Shorty. Jonathan me tend un verre rempli d'un liquide rose bonbon et décoré d'un petit parasol violet.

— Ç'est un daïquiri aux fraises, tu vas aimer, me crie-t-il à l'oreille pour que je puisse l'entendre malgré la musique.

J'en prends une gorgée et, il a raison, j'adore. Pendant ce temps, Jonathan m'observe, appuyé contre la rambarde du deuxième étage où nous sommes perchés. Il humecte ses lèvres et s'avance vers moi. Il me prend des mains mon verre et le dépose sur une table derrière moi. Mon cœur fait des triples saltos arrière lorsque, très lentement, il glisse sa main sur ma hanche. À ce moment précis, c'est comme si le monde tout autour venait de s'arrêter. Les danseurs ne bougent plus, figés dans le temps, et la musique s'est tue, comme si quelqu'un avait appuyé sur pause. Il dépose un gentil baiser sur le bout de mon nez, que je retrousse en riant doucement. Je sais que le temps n'est plus à la blague lorsque sa bouche se pose sur la commissure de mes lèvres. Nos souffles chauds se mêlent. Nos lèvres se frôlent depuis trop longtemps déjà, titillant tous mes sens; je décide donc de prendre les choses en main, pressée de sentir leur douceur. Quand nos langues s'emmêlent dans un choc électrique, tout autour reprend sa vie. C'est comme si la chaleur de nos corps avait tout remis en marche. C'est tellement bon! Patrick ne m'a jamais fait cet effet!

Je ne suis pas du genre à embrasser le premier venu, mais ce soir, tout est différent. J'avais envie de ce baiser. J'avais *besoin* de ce baiser. Pour me prouver que je n'étais pas en train de me faire des idées à propos de Jonathan et moi. Je me languissais de sentir que quelqu'un m'apprécie. Et en ce moment, il fait tout ça et beaucoup plus !

Je me laisse emporter complètement. Après un autre baiser, beaucoup trop court et qui me laisse haletante, Jonathan me regarde avec de la joie dans les yeux. Je me sens tellement bien. Pendant un instant, j'ai l'impression que Patrick est le lointain souvenir d'une autre vie et que Jonathan est mon avenir.

– J'ai une surprise pour toi, m'informe-t-il.

Il sort de sa poche deux petites pilules, une verte et une rose, sur lesquelles sont gravés de petits papillons.

– Qu'est-ce que c'est ?

– Juste une petite *peanut*[2] pour t'aider à avoir plus de fun.

Je lui demande, à la fois incrédule et curieuse :

– C'est possible d'en avoir encore plus qu'en ce moment ?

Son sourire s'élargit. Il avale une des pilules en même temps qu'une gorgée de bière. Il prend ensuite la rose et la pose sur sa langue tout en me faisant signe d'approcher. J'embarque tout de suite dans le jeu. Je sors ma langue et attrape le petit bonbon sans me poser trop de questions. Je prends une gorgée de mon verre et j'embrasse Jonathan de nouveau. Avec plus d'intensité, cette fois.

---

2. Ecstasy.

FILLE À VENDRE

La nuit est magique. Je danse sans arrêt et, même si j'ai la tête qui tourne un peu, je me sens bien, presque euphorique. Des couleurs fluorescentes dansent devant mes yeux et j'ai envie de chanter à tue-tête. Jonathan me touche partout et j'adore ça. On dirait qu'il a des milliers de doigts et la sensation que j'éprouve est incroyable. Je ressens tout avec une puissance infinie. Moi aussi, je le touche et je sais qu'il aime ce que je lui fais parce que je sens son pénis durci contre mon bas-ventre.

Plus tard – je ne sais pas trop quelle heure il est, j'ai perdu la notion du temps –, sans que je m'en rende compte, je suis de nouveau dans un taxi, coincée entre Shorty et Jonathan tandis qu'Iza est assise à l'avant. Je n'ai pas la moindre idée de ce qui est arrivé à Zenzo et à Big Paul. Jonathan et moi continuons de nous embrasser et de nous toucher, comme des adolescents qui découvrent les joies du sexe. Ben, en ce qui me concerne, en tout cas…

Je pense que Shorty est en train de m'embrasser dans le cou et de caresser mon dos, mais je n'en suis pas certaine. Mon regard croise celui d'Iza dans le rétroviseur et elle me sourit.

Quand nous arrivons à l'appartement, je suis complètement épuisée et je m'affale sur le sofa pendant que Jonathan s'enferme dans sa chambre. Iza et Shorty restent debout en face de moi, l'air tout aussi fatigué. Contre toute attente, Iza se met à genoux, détache le pantalon de Shorty et s'applique à lui faire une fellation. Comme ça, devant moi, comme si de rien n'était! On dirait que je n'existe même pas.

C'est bizarre, mais au lieu de me scandaliser la situation me fait bien rigoler. Malgré tout, je ne suis pas certaine d'avoir envie de voir ça. Je me lève tant bien que mal et vais m'effondrer dans mon lit. On dirait qu'un rock'n'roll endiablé fait vibrer tout l'appartement et j'aimerais bien que ça s'arrête. J'aimerais que les étoiles cessent de briller si fort, aussi. Ça commence à être lassant. Je voudrais dormir.

Je ne sais pas combien de temps après, j'entends la porte s'ouvrir et se refermer et des pas dans la pièce.

– Jonathan ?

– Oui, c'est moi, ma belle.

Il s'assoit sur le lit et me caresse doucement le front.

– J'ai soif, lui dis-je.

Il soulève alors ma tête pour me donner ce que je croyais être de l'eau, mais c'est de la bière. Non, je n'en veux plus ! Je recrache la gorgée de liquide amer et repose lourdement ma tête sur l'oreiller. Jonathan me pousse du côté gauche du lit et s'installe près de moi. Je lui tourne le dos. Je dois dormir. Je suis fatiguée et j'ai la tête qui n'arrête pas de faire des pirouettes. C'est de moins en moins drôle.

– T'es toujours vierge, Leïla ?

Sans trop réfléchir, je réponds par l'affirmative. Il me saisit alors par l'épaule et me place de nouveau sur le dos. Il bécote doucement mon visage.

– T'en fais pas. Je vais y aller doucement avec toi. Tu vas voir, tu vas aimer ça.

8

— Allez, jeune fille, va te brosser les dents ! Papa va monter dans dix minutes pour te lire une histoire.

— D'accord !

Je regarde Sophie monter les marches, du haut de ses sept ans. Je me rends compte que, depuis que je vis à Québec, je manque beaucoup de choses importantes dans la vie de mes sœurs. Sophie grandit si vite et Leïla… Leïla… Ça fait maintenant sept semaines complètes que nous n'avons plus de nouvelles d'elle. Elle a fugué de nouveau. La première fois, ça n'a duré que deux jours, mais cette fois, ça semble parti pour durer plus longtemps.

Quelques jours avant qu'elle ne prenne la poudre d'escampette, Leïla m'avait dit qu'elle voulait que nous discutions. C'était à propos de Patrick. J'étais en pleine rédaction d'une dissertation très importante, pour un cours à l'université, et je lui ai dit que je la rappellerais. Finalement, j'étais trop absorbé, j'ai oublié et je ne l'ai jamais rappelée. Pourtant, ça avait l'air important. Trois jours plus tard, elle disparaissait. Comme les jours passaient et qu'elle ne revenait pas, j'ai pris la décision de mettre ma session sur la glace. De toute manière, je n'avais pas la tête à poursuivre mes cours en sachant que ma sœur manquait à l'appel. Si seulement je n'avais pas été si obsédé par mes études, ça ne serait pas arrivé. Je me sens tellement mal, tellement coupable! Peut-être que si j'avais pris le temps de l'écouter, tout serait rentré dans l'ordre, mais ça, je ne le saurai probablement jamais, parce qu'elle a disparu.

— Sophie est montée? me demande mon père.

— Oui, ça fait environ cinq minutes.

Il gravit les escaliers comme s'il s'agissait d'une montagne et qu'il portait en plus une charge de vingt kilos sur ses épaules. Il semble complètement déboussolé. Notre père a toujours été froid et centré sur lui-même. Cependant, je ne peux nier que de le voir dans cet état me prouve le contraire. Maintenant, il prend le temps de nous écouter et il tient à lire son histoire à Sophie tous les soirs avant qu'elle ne dorme. Comme s'il essayait de rattraper le temps perdu. C'est terrible de se dire qu'il fallait un événement pareil pour nous faire réaliser que certains de nos comportements devaient changer. Nous apprenons durement qu'en un battement d'ailes, la vie peut changer du tout au tout. J'aurais voulu que ça se passe autrement.

Maman a arrêté de donner ses cours de piano. Elle se consacre entièrement à chercher des indices qui nous informeraient sur ce qui est arrivé à Leïla. Pour sa part, papa pense qu'elle est morte. Il dit souvent à maman que ses recherches ne donneront rien, qu'il est déjà trop tard. Pour appuyer ses dires, il cite en exemple des cas tels que celui de Cédrika Provencher[3]. Elle lui crie alors de se taire et que si lui a déjà baissé les

---

3.   Le 31 juillet 2007, Cédrika Provencher, neuf ans, partait faire un tour de bicyclette. Elle n'est jamais rentrée chez elle. Jusqu'à ce jour, la famille reste sans nouvelles de la petite fille.

bras, elle a l'intention de remuer ciel et terre s'il le faut pour retrouver leur fille.

Moi, je tente de chasser le plus loin possible l'idée que Leïla se serait tout simplement évanouie dans la nature ou qu'elle serait… morte. Je ne veux même pas y penser. Je préfère croire qu'elle se cache dans le sous-sol d'une amie à l'insu des parents de celle-ci. J'espère vraiment que c'est ce qui arrive. La simple idée de la savoir retenue contre son gré, battue, violée, ou les deux, m'angoisse terriblement.

Maman entre dans la pièce, absorbée par la paperasse qu'elle tient dans ses mains. En sept semaines, elle a perdu cinq kilos. Elle n'a jamais pu supporter l'incertitude.

— Est-ce que t'as eu des nouvelles de l'enquêteur, maman?

Elle sursaute, comme si elle ne s'était pas rendu compte que j'étais là.

— Oh! Tu m'as fait peur, Luc, souffle-t-elle en portant la main à sa poitrine. Non, pas encore.

Elle baisse les yeux, tremblante.

— J'ai tellement à faire… Si tu pouvais m'aider en donnant un coup de fil aux organismes qui accueillent des jeunes en difficulté, ce serait vraiment apprécié. La liste est sur la petite table où est posé le téléphone. Tu vas voir, elle commence par En Marge 12-17.

— D'accord, maman, je m'en occupe.

Ma mère me sourit distraitement avant de s'éloigner. Elle passera la majeure partie de la nuit dans son bureau.

FILLE À VENDRE

Leïla, si jamais tu vas bien, *s'il te plaît*, donne-nous signe de vie. Ta disparition nous tue à petit feu.

9

– TU AS FAIT QUOI?!? s'écrie Ariane, scandalisée.

Tiens! C'est exactement le genre de réaction à laquelle je m'attendais de sa part. Immature. Ari est complètement abasourdie. Bon, j'avoue, je ne pensais pas que ça se passerait comme ça et certainement pas aussi vite. Bref, Jonathan et moi formons maintenant un couple. Il y a un mois, nous avons fait l'amour pour la première fois – *ma* première fois. J'aurais aimé en garder un souvenir plus clair, mais je ne me sens pas différente d'avant. La seule différence, c'est que je ne suis plus vierge. Dire que j'en avais toujours fait un *big deal*!

Quand je me suis réveillée, le lendemain de ma fameuse première nuit en boîte, je me suis surprise à appeler ma mère, comme lorsque j'étais petite et qu'elle venait me consoler après avoir fait un horrible cauchemar. Je me suis vite sentie ridicule parce que je n'étais pas dans ma chambre de petite fille, mais dans l'appart de Jonathan et qu'il dormait à mes côtés. Heureusement, je ne pense pas qu'il m'ait entendue.

Je me suis levée pour aller à la toilette et quand je me suis mise à uriner, j'avais l'impression d'uriner du feu. L'enfer! Quand j'en ai parlé avec Jonathan à son réveil, il s'est mis à rire et m'a dit que c'était parce qu'il avait «*poppé* ma cerise» – quoi?! – et que je n'étais pas assez lubrifiée. Il a ajouté pour finir que ça passerait. Sur le coup, j'ai été assez surprise qu'il parle de la perte de ma virginité aussi froidement. J'ai soudain eu envie de pleurer, mais je me suis retenue de toutes mes forces pour qu'il ne croie pas que j'étais une pleurnicharde.

Tandis que je ravalais mes larmes, il m'a tendrement prise dans ses bras et a affirmé qu'il m'aimait. Qu'il m'aimait depuis la seconde où il m'avait vue dans le parc et que, même si c'était fou et que nous nous connaissions à peine, il voulait que nous formions un couple. Grâce à ces simples mots, tout venait de s'effacer: mes rêves de ma première nuit d'amour parfaite et romantique et la manière blessante dont il avait parlé de la perte de ma virginité. En me serrant davantage contre lui, il a précisé que la nuit dernière avait été magique et que j'avais eu l'air de vraiment apprécier. Je l'ai cru sur parole. Le soir même, nous avons refait l'amour, lentement. J'ai plus ou moins apprécié, mais j'ai aimé sentir l'amour qui se développait entre nous.

— Eh oui! Ça fait un mois que je suis plus vierge et, en plus, je suis amoureuse! Pourquoi tu capotes?

— Ben… j'sais pas, là! Tu disais tout le temps que tu attendrais jusqu'au mariage!

— J'ai trouvé le bon gars, Ari! J'suis en amour! Tu peux pas juste être contente pour moi?

Le silence se fait de plus en plus lourd au bout du fil.

– Allôôôôôôô ?

– Oui, je suis là…

– Sinon, qu'est-ce qui se passe de bon ? dis-je pour changer de sujet.

– Pas grand-chose, la routine. Tout le monde se demande où t'es à l'école. Certains disent que t'es morte, d'autres que tu t'es fait kidnapper par les parents de Nancy… Patrick, lui, a l'air complètement démoli. Il me demande chaque jour si j'ai eu de tes nouvelles et il pleure souvent aussi…

– Pff ! Patrick est vraiment le dernier de mes soucis ! Il est tellement derrière moi ! Il avait qu'à pas faire de conneries s'il voulait me garder !

– Si tu le voyais, tu comprendrais ! Dans le fond, je me demande s'il a vraiment quelque chose à se reprocher… Sinon, il s'en ficherait et il vivrait ce qu'il veut vivre avec Nancy ou d'autres filles, non ?

– Tu oublies ce que j'ai entendu de Nancy et ses copines dans les toilettes ?

– Ouais, je sais, mais… peut-être qu'elles voulaient seulement jouer les intéressantes !

Pardon ? C'est une blague ? Je rêve, ou quoi ?! Il y a quelques semaines, elle me disait que Patrick me trompait avec Nancy sans aucune considération pour le mal que ça pouvait me faire et là, elle me dit que peut-être il n'a rien à se reprocher ? De quel côté elle est exactement ?

– S'il n'avait rien à se reprocher, il ne braillerait pas comme une fillette ! Branche-toi, Ariane ! C'est toi qui m'as dit qu'il me trompait ! D'ailleurs, si tu m'avais pas raconté cette histoire, je serais jamais partie !

Je ne suis pas sûre que je voulais dire ça… Si, en fait, à bien y penser. C'est juste que je ne voulais pas que ça sorte aussi sèchement. Mais cette histoire a commencé à cause de ses soupçons. Oui, à présent, j'ai trouvé un bonheur inattendu, mais si je n'avais pas rencontré Jonathan, que serait-il advenu de moi ? Peut-être que je serais tombée entre les mains d'une personne mal intentionnée ou, pire encore, je serais morte !

– Bon, c'est de ma faute si t'es partie, maintenant ? Excuse-moi si tu t'es fait dépuceler pendant que t'étais trop soûle ou gelée ou les deux pour t'en rendre compte ! Mais ça reste TA décision ! T'as changé, Leïla…

– C'est sûr que j'ai changé, Ariane Blondin ! Je suis une adulte, maintenant, j'me tiens plus avec des bébés !

Je raccroche le combiné, furieuse. Elle crève de jalousie, c'est clair. J'ai décidé d'avancer et de faire les choses comme ça me plaît. Elle m'envie parce que je croque à belles dents dans la vie. Oh, et puis tant pis, j'en ai rien à faire de ce qu'elle pense !

Toujours furieuse à cause des paroles lancées par celle que je croyais être ma meilleure amie, je me surprends à souhaiter que Jonathan soit à mes côtés. Il travaille toute la journée et je m'emmerde royalement. Il est parti très tôt ce matin en m'embrassant à la va-vite. Même si j'ai dit à Ariane que tout était parfait entre Jonathan et moi, ce n'est pas tout à fait vrai. J'ai embelli un peu les choses… Juste un peu. Je continue de penser que Jonathan est la meilleure chose qui aurait pu m'arriver dans une situation pareille, mais je dois admettre qu'il a changé et je ne m'attendais pas à ça.

Par exemple, lorsque nous avons des rapprochements, c'est très froid. Les premiers temps, il me demandait si ça allait, s'il allait trop vite, si c'était bon. Maintenant, plus rien. Déjà que j'ai de la difficulté à apprécier les relations sexuelles ! C'est pas aussi trippant qu'on veut bien nous le laisser croire à la télé… Alors qu'il se montrait doux et attentionné avec moi, là, il me fait l'amour de manière automatique, pour «relâcher la tension», comme il le dit lui-même. J'en suis rendue à appréhender ces moments. Dès qu'il s'approche de moi et que je sais qu'il veut faire l'amour, je me sens mal à l'aise, j'étouffe et il m'est même arrivé de pleurer. Mais je me suis empressée de cacher mes larmes. Désormais, je me tais et je le laisse faire. Lorsqu'il a terminé, je lui dis que j'ai adoré. De toute manière, ça ne dure jamais bien longtemps.

Les deux premières semaines de notre relation ont vraiment été les meilleures. Je me suis crue dans un véritable film d'amour. Même si Jonathan était souvent absent pour «affaires», il me promettait toujours qu'il aurait quelque chose pour moi à son retour. Il semblait toujours trop s'ennuyer de moi. Donc, faute de pouvoir se toucher, on se disait des mots doux, grâce au téléphone intelligent qu'il m'avait offert. Il ne ratait jamais une occasion de m'appeler, jusqu'à cinq ou six fois par jour ! Il voulait s'assurer que j'allais bien, mais aussi que je ne flancherais pas en appelant mes parents ou Luc. Selon Jonathan, ils ne feraient que me crier par la tête à quel point je suis irresponsable et qu'ils n'auraient plus jamais confiance en moi. Mon chum me répétait à quel point il voulait me protéger d'eux, pour qu'ils ne puissent plus me blesser. Il voulait les empêcher de me mettre des bâtons dans les roues.

Lorsqu'il rentrait, on passait la journée suivant son retour ensemble, rien que lui et moi. Un jour, tandis qu'on se promenait sur l'avenue du Mont-Royal, notre endroit préféré pour se retrouver, on s'est arrêtés devant un salon de coiffure.

– T'aurais pas envie de changer de tête ? m'avait-il lancé.

– Qu'est-ce que tu veux dire ?

– Tu pourrais changer de couleur et de coupe. Tu serais super jolie en blonde. Je t'ai déjà dit que j'adorais les blondes ?

Il avait dit ça en s'approchant de moi et en me pressant contre lui comme j'aime tant qu'il fasse.

– Je sais pas trop si ça m'irait…

– Sûr et certain ! Tu serais encore plus belle. Tu me fais confiance, non ?

J'hésitais. Le brun avait toujours été ma couleur et je trouvais qu'elle m'allait très bien. Je ne savais donc pas si j'avais envie de changer et avec une couleur aussi différente. Voyant mon incertitude, Jonathan s'était emporté, à ma grande surprise.

– Si tu me fais pas confiance, laisse donc faire !

Puis il m'avait repoussée avant de s'éloigner, les deux mains dans les poches. C'était comme s'il venait de me donner un coup de pied en plein ventre. Mon cœur me criait de ne pas laisser partir cet homme qui me recevait sous son toit, qui m'écoutait, qui m'aimait. Il me demandait si peu en retour !

– Jonathan, attends ! T'as raison, je vais le faire. Ça me permettra de mettre le passé derrière moi pour de bon et de commencer officiellement ma nouvelle vie avec toi !

– Allez, viens, princesse, ça va être super !

Tandis que Jonathan discutait avec le coiffeur à savoir quel ton de blond je devais adopter, j'étais toujours dans le doute quant à cette décision que je venais de prendre pour lui faire plaisir. Vingt minutes plus tard, chaque coup de ciseaux était comme la preuve irréfutable qu'il n'y avait aucun moyen de faire marche arrière.

Une fois la séance terminée, je me suis levée pour m'observer de plus près dans un miroir de plain-pied. C'est à ce moment-là que j'ai vu que je n'étais plus la même. De la tête aux pieds. J'étais maintenant blonde, cheveux à la hauteur des épaules, vêtue des vêtements que Jonathan m'avait offerts. Emballé, il s'était glissé derrière moi et avait affirmé que j'étais magnifique. J'avais souri, pour lui faire plaisir, mais j'étais loin d'être de son avis. Je ne me reconnaissais plus. Mais bon, je me disais : « Je l'aime et il m'aime, c'est tout ce qui compte. »

Aujourd'hui, quelques semaines plus tard, nous sommes toujours aussi amoureux, même si ce n'est pas parfait. De toute manière, aucune relation n'est parfaite, alors… En tout cas, j'ai hâte que mon chum soit de retour, car j'ai envie d'aller magasiner. Jonathan ne me refuse jamais rien. Il m'appelle princesse. Je n'ai qu'à demander et je reçois. Je n'ai jamais eu autant de sacs à main, de vêtements, de maquillage, de chaussures – ma nouvelle passion. Par-dessus tout ça, Jonathan m'a aussi acheté une guitare. Une Fender noire avec des dégradés rougeâtres. Elle est tout simplement magnifique et elle joue comme un charme. Elle est cent fois mieux que celle que j'avais avant. Souvent, lorsque Jonathan n'est pas trop fatigué en rentrant du travail, il prend le temps de m'écouter jouer et chanter. Ça le relaxe.

Ça ne fait que me confirmer dans mon désir de faire de la musique. Depuis que j'ai plus de temps pour moi, j'ai écrit des tas de nouvelles chansons que je trouve vraiment excellentes. Il faudrait seulement que je rencontre quelqu'un du milieu, en l'occurrence Annick – la fille de MusiquePlus – pour lui montrer ce dont je suis capable…

Il m'arrive tellement de choses inhabituelles et inespérées depuis que je suis ici! Ça me fait penser au soir où je suis sortie avec Iza. Ce soir-là, Jonathan m'avait tout simplement dit qu'elle viendrait me chercher pour qu'on aille s'amuser entre filles. Je n'ai pas posé plus de questions. J'étais juste contente de pouvoir aller me distraire un peu et, du même coup, d'apprendre à la connaître davantage.

En route, dans l'auto, Iza était silencieuse. À l'époque, je n'étais pas vraiment habituée à ce calme. J'avais plutôt l'habitude, lorsque je me retrouvais avec des copines, d'en profiter pour parler de tout ce qu'on n'osait pas se dire devant les garçons.

Nous nous étions finalement arrêtées devant une minuscule maison. Iza était descendue de la voiture et me pressait de faire de même. Nous avons pris des escaliers qui menaient vers le sous-sol. Un bruit étouffé se faisait entendre derrière la porte close. Iza a cogné cinq coups et on nous a ouvert. Aussitôt, de la musique hip-hop s'est mise à résonner dans mes oreilles. Nous sommes allées nous asseoir et une fille, légèrement vêtue, plateau à la main, s'est penchée pour nous offrir un verre. Je ne me suis pas fait prier pour accepter.

— Alors, tu aimes ça, vivre avec Young Gun ? m'a demandé Iza, pendant que j'avalais, grimaçante, l'alcool clair qu'on venait de me servir.

— Oui, j'adore ! Je ne pourrais pas demander mieux !

— Comment tu l'as rencontré ?

Un voile est venu assombrir ma bonne humeur. Elle l'a remarqué immédiatement.

— T'as pas à me le dire, dans le fond, j'comprends. La plupart sont ici pour des raisons très différentes.

Elle a poursuivi :

— Tu vois la fille là-bas ? (J'ai hoché la tête.) C'est Monica. Dans sa vie, ça allait vraiment mal. Son chum la battait, sa mère était alcoolique et son père… son père la visitait la nuit dans sa chambre, si tu vois l'genre.

Ahurie par de telles révélations, j'ai couvert ma bouche de ma main. Je n'imaginais jamais mon père me faire un truc pareil…

— Elle en avait assez. Alors, un soir qu'elle errait dans le métro, on l'a prise sous notre aile. Elle n'avait vraiment pas l'air bien. Mais avec nous, elle n'a plus rien à craindre. C'que j'veux que tu comprennes en te racontant tout ça, Leïla, c'est qu'ici, on est une famille. Une famille tricotée serrée. Chacun a son histoire et c'est cette histoire qui l'a amené à devenir un soldat, un membre de notre gang. On a tous vécu des situations qui nous on blessé ou traumatisé, donc on se soutient. Et à n'importe quel prix, peu importe la situation, on te sort de la merde. Ici, peu importe c'que t'as vécu, t'as pas à te demander c'que tu vas manger le lendemain, c'que tu vas te mettre sur le dos ou comment tu vas faire pour te protéger des salauds qui te font du mal. Pis si en plus on peut se faire de l'argent facile, pourquoi pas ? On veut s'amuser, on s'amuse. C'pas plus compliqué qu'ça. Ici, on mène la vie comme on l'entend. Tu comprends ?

Iza a pris une pause, comme pour me donner le temps d'absorber ce qu'elle venait de m'expliquer. J'en ai profité pour regarder autour de moi. Tous avaient l'air si bien. Exempts de soucis. Décontractés. Ils s'amusaient. Ils étaient libres, mais aussi protégés. Puis, je me suis surprise à penser que moi aussi, j'avais envie de ce genre de vie.

— Est-ce que je peux faire partie de la famille, moi aussi ?

Je lui ai fait ma demande avec une voix teintée de supplication. Moi aussi, je voulais être comme eux. Et si ça voulait dire en plus avoir une *nouvelle* famille, j'étais prête à dire oui, sans même lire les termes du contrat.

— Tu fais déjà presque partie de la famille, Leïla.

Elle m'a énoncé quatre règles qui feraient de moi une «soldate» parfaite, un membre à part entière de leur gang. Je n'oublierai jamais la sévérité de ses traits lorsqu'elle me les a énumérées. Je ne devais surtout pas les prendre à la légère !

Règle numéro un : motus et bouche cousue. Pas un mot à personne hors du groupe sur ce qu'on fait, sur ce qui se dit entre les membres du gang.

Règle numéro deux : on ne trahit jamais la famille.

Règle numéro trois : un pour tous et tous pour un.

Règle numéro quatre : fais c'qu'on te dit et ferme ta gueule.

Quatre règles toutes simples qui, une fois énoncées, me liaient à jamais à ce groupe…

Le bruit de la clé dans la serrure me fait tressaillir et me sort de mes souvenirs de cette soirée dont je n'ai jamais parlé avec Jonathan. Il n'a jamais posé de question non plus, même si je suis rentrée à la maison assez éméchée.

Je reporte mon attention sur lui. Je l'attendais seulement en fin de soirée. Alors que je suis assise au salon, je me retourne face à la porte en m'installant sur mes genoux avec la ferme intention de lui parler de ma carrière en musique. Si je veux que les choses fonctionnent, je vais devoir m'aider moi-même et lui rappeler la promesse qu'il m'avait faite. Il a sûrement oublié.

– Déjà de retour, mon amour ? lui dis-je en regardant la montre qu'il m'a offerte cette semaine. Il n'est que quinze heures.

— Ouais, répond-il distraitement en continuant de pianoter sur son téléphone.

Il s'enferme ensuite dans sa chambre pour faire ses appels. Comme d'habitude. On dirait qu'il ne veut pas que je sache avec qui il parle. Fatiguée de ce petit manège, je me rends à la porte pour écouter ce qu'il est en train de dire et j'attrape quelques mots au vol : « elle commence bientôt… », « je sais, Dan, je m'en occupe… » Dan ? J'ai souvent entendu Jonathan parler avec cet homme, mais il ne m'a jamais dit de qui il s'agissait. Je n'ai jamais posé de question puisque ça ne me concernait pas.

Il sort finalement de sa chambre et a l'air quelque peu étonné de me voir si près.

— T'écoutais à la porte ? lance-t-il.

— Non…

Il me considère avec suspicion et va à la cuisine. Il ouvre ensuite le frigo et se sert un verre de boisson gazeuse qu'il boit d'un trait.

— Tu sais, quand tu disais que tu me ferais rencontrer quelqu'un de MusiquePlus ? Est-ce que tu penses que ça pourrait être bientôt ? Je m'emmerde à ne rien faire, t'es presque jamais là et j'ai écrit beaucoup de nouvelles chansons. Elles sont vraiment bonnes et je suis certaine qu'Annick pourrait être intéressée ou me présenter quelqu'un qui le serait. Toi-même, tu me dis tout le temps à quel point je suis douée.

Il soupire. Je me lève pour me rendre de l'autre côté du comptoir, face à lui, et le regarde avec des yeux implorants.

— Ouais…, finit-il par dire. Je parlais justement avec Annick un peu plus tôt et elle serait prête à te rencontrer demain. J'voulais te faire la surprise !

— T'es sérieux, là ? dis-je prudemment de peur qu'il me fasse marcher.

— Oui, pourquoi je mentirais sur quelque chose comme ça, princesse ? Je sais à quel point c'est important pour toi ! Tu pensais que j'avais oublié ?

— Oui !

— Mais non, jamais ! Alors, ça te tente ?

— Si ça me tente ?

Je saute de joie comme une petite fille le jour de Noël. Je n'arrive pas à y croire ! Mon rêve est vraiment en train de se concrétiser ! Je me rue sur lui et il me soulève pour me faire tournoyer dans les airs. Il est vraiment le meilleur copain que j'ai eu de toute ma vie, même si je peux encore les compter sur les doigts d'une seule main. Je l'embrasse comme si je ne l'avais pas vu depuis des semaines et lui dis :

— Il faut tellement qu'on aille fêter ça !

Quelques heures plus tard, nous sommes dans la section VIP d'un club que Jonathan a louée pour l'occasion. Je ne me suis même pas donné la peine de regarder le nom. Je suis trop heureuse pour consacrer du temps à des choses aussi insignifiantes. Je vais enfin rencontrer une personne du domaine musical qui va pouvoir me donner des conseils pour démarrer ma carrière! Je rencontre Annick demain, vers treize heures, dans un petit resto non loin de l'appart. J'ai trop hâte! Ce soir, je suis tout sourire et rien, je dis bien rien, ne pourra m'empêcher d'avoir du plaisir.

Avant que Jonathan et moi ne partions pour le club, j'ai préparé mes chansons et mes partitions que j'ai placées dans une enveloppe de plastique rose décorée par mes soins. Elle démontre totalement ma personnalité. J'y ai collé des papillons, des cœurs, des notes de musique et des mots significatifs pour moi, dont «rêve». Rêve, comme celui qui se réalise enfin!

Je constate que nos amis habituels sont là. Iza, Shorty, Zenzo et Big Paul, et d'autres dont je n'ai jamais appris le nom. Mais on s'en fout, nous ne sommes que des copains de party. Je bois une, deux, trois bières plus des *shooters* différents, jusqu'à en perdre le compte. Même si j'ai la tête qui tourne dangereusement, je continue comme si j'étais une habituée. Les gens assis avec nous se passent un joint et je le prends pour le porter à mes lèvres. Je joue à celle qui est habituée d'en fumer. Je tousse en tirant les premières bouffées. Je trouve ça drôle et les autres aussi, puis je le refile au suivant. Dès que j'y ai goûté, je sais que je vais continuer d'en prendre. Pourquoi pas? On dirait que ça ajoute à mon état de jubilation et j'aime ça.

Je ne sais pas si c'est l'alcool qui commence à faire effet, mais j'ai l'impression de voir tout le monde se pencher pour renifler la table. Est-ce qu'elle a une odeur particulière? En me tournant vers la droite, je vois que Jonathan fait pareil. En regardant plus attentivement, je me rends compte qu'il aspire une petite ligne de poudre blanche bien tassée sur la table.

— Tu veux essayer, princesse ?

— C'est quoi ? De la cocaïne ?

— Nah, c'est dépassé, ce truc. Ça, c'est un vrai p'tit bijou. C'est de la méthamphétamine. Avec ça, tu vas voir des étoiles.

— De la quoi ?

— Meth, pour les intimes.

Il voit que j'hésite.

— Tu vas voir, ce n'est pas grand-chose, affirme-t-il tandis qu'il me prépare une ligne. Tout ce que t'as à faire, c'est d'aspirer d'un p'tit coup rapide. C'est pas bien méchant. Tu vois, tout le monde autour en prend et a du plaisir. C'est comme le *party pill*[4] de l'autre soir, mais en cent fois mieux !

Je regarde autour de moi. Effectivement, tout le monde en prend. J'aperçois Iza au fond de la pièce et elle me fait un clin d'œil d'encouragement. Jonathan me regarde à son tour et, sans plus attendre, je me lance. Aussitôt, des larmes me montent aux yeux, je tousse, le nez me pique et mes yeux sont soudainement irrités. J'ai l'étrange sentiment de sentir cette petite poudre pâle faire le tour de mon corps. Je ne suis pas certaine que j'apprécie. Pourtant, c'était censé être bon !

---

4. Ecstasy.

Bien plus tard, malgré ces drôles de sensations qui m'ont assaillie, probablement multipliées par l'alcool, je ressens une envie folle de me lever et de me mettre debout sur la table pour chanter. Une fois installée, je me lance dans une de mes compositions, de manière un peu boiteuse, certes, mais je prononce assez bien pour qu'on soit capable de comprendre les mots qui sortent de ma bouche. Deux ou trois couplets plus tard, je ne me souviens plus des paroles, mais ce n'est pas grave, car tout le monde siffle, tout le monde m'acclame et aime voir ce que je suis en train de faire. Ça me donne le goût d'en faire plus. Je me mets à danser comme j'ai vu tant de filles le faire dans les vidéoclips et soulève ma robe de manière provocante.

– Whou hou! *That's my baby!* crie Jonathan avec entrain.

Je me sens comme dans la nouvelle version de *Footloose* avec Julianne Hough. Sexy, désirable, appétissante. Je ne pense plus à ce qu'il y a derrière moi, mais seulement au présent.

PARTIE 3

L'enfer

10

Fuck. J'ai jamais vomi comme ça, me dis-je, penchée au-dessus de la cuvette des toilettes. Je ne me souviens pas de grand-chose d'hier, mais je sais que j'ai eu le fun de toute une vie ! Je souris et me prends la tête entre les mains. J'ai un de ces mal de bloc ! Comme s'il y avait un millier de marteaux-piqueurs qui s'activaient en même temps dans ma tête. Cette image me fait sourire encore plus, même si je ne comprends pas pourquoi. Je tire la chasse d'eau et vais ensuite au lavabo pour jeter un peu d'eau fraîche sur mon visage. Lorsque je me regarde dans le miroir, le reflet qu'il me renvoie est effrayant. Il est un peu trop tard pour l'Halloween ! J'ai les yeux injectés de sang et mon teint est d'une pâleur cadavérique. Il faut absolument ajouter cette teinte au dictionnaire des couleurs !

Café. J'ai grand besoin d'un café. Je me traîne jusqu'à la cuisine et le seul bruit de mes pas sur le parquet de bois franc est trop intense pour la migraine qui pilonne mon crâne. En sortant un filtre de l'armoire, mon regard survole la table de la cuisine sur laquelle est posé le porte-documents que j'ai préparé hier pour ma rencontre avec… Merde ! Non, non, non !

J'ai complètement oublié! Je me détourne alors à toute volée pour voir l'heure qu'il est. Midi et quart! J'ai encore le temps de prendre une douche comme le rendez-vous n'est qu'à treize heures. Je me précipite donc vers la salle de bains et, dans mon empressement, je trébuche sur Tyson qui a décidé de s'installer en plein milieu du couloir.

Quel con ce chien, des fois! Je prends une douche rapide et me sèche en quatrième vitesse. En me replaçant devant le miroir, j'ai la nette impression qu'il n'y a rien à faire avec un visage aussi abîmé, mais je tente quand même ma chance. Ça doit être ça, la gueule de bois. Merde! Merde! Merde! Ressaisis-toi, Leïla! Tu ne peux pas manquer cette chance!

Mes cheveux sommairement coiffés en chignon au sommet de ma tête et portant les mêmes vêtements qu'hier, je sors de l'appart en courant avec ma petite pochette de plastique rose plaquée sous mon bras. Je n'ai pas pris le temps d'enfiler des bottes et les flocons de décembre imbibent complètement mes ballerines. J'essaie de ne pas y penser. Mon cœur bat à cent à l'heure, et pendant un instant, j'ai peur de m'évanouir. Je m'arrête pour reprendre mon souffle, mais aussi pour que cessent de tourbillonner les choses autour de moi. C'était drôle hier, mais là, j'ai besoin de toute ma tête. Je ne sais plus où je suis. Mon cœur s'emballe de plus en plus et j'ai l'horrible sensation d'hyperventiler. Je n'arrive pas à calmer ma respiration. À quelle adresse je devais aller? 1000... 312... À droite, après le... Merrrrrrrrrrrrde! Je ne me souviens plus!

Pendant que je tente de me remettre les idées en place, un vieillard s'arrête à ma hauteur. Je dois paraître vraiment perturbée, car il pose une main sur mon épaule, l'air inquiet.

— Est-ce que ça va ? Je peux t'aider ?

Aussitôt, sa main placée sur moi me fait l'effet d'une décharge électrique. Je n'aime pas ça. Je lui crie comme une folle :

— Touche-moi pas !

Il me regarde avec des yeux ronds, puis continue sa route en secouant la tête. Je n'ai pas le temps de répondre aux inquiétudes d'un vieux sénile ! Je dois aller à la rencontre de ma destinée ! Je veux être chanteuse ! Je *dois* être chanteuse. Soudain, je me rappelle que Jonathan m'avait noté l'adresse sur un bout de papier. Rapidement, je fouille dans la poche de mon manteau et, Dieu merci, il est là. En regardant le gribouillis, finalement, ça me revient. Je me souviens des indications qu'il m'avait données et je sais où me rendre !

En entrant en trombe dans le petit café, je regarde ma montre : il est une heure moins cinq. Juste à temps ! Je vois une femme à la longue chevelure brune, comme celle que m'a décrite Jonathan, au fond de la salle et tout de suite, mon cœur accélère encore plus, si c'est possible. Elle est déjà là. Je m'avance lentement et tente de me donner une certaine contenance. En arrivant à sa hauteur, je prends une bonne inspiration et me lance.

— Bonjour Annick, c'est moi, Leï…

Ce n'est pas elle. Cette femme est d'origine asiatique et elle me regarde avec des yeux en points d'interrogation. Je me confonds en excuses et vais m'asseoir en avant, bien en vue. Je ne voudrais pas manquer la *vraie* Annick lorsqu'elle va entrer.

À peine ai-je eu le temps de m'installer que la serveuse arrive pour prendre ma commande. Je lui demande un café, pour commencer, car j'attends quelqu'un, lui dis-je. J'entre dans les détails en disant qu'il s'agit d'une personne importante du domaine de la musique qui me donnera sans aucun doute ma chance, mais je vois bien sur le visage de cette serveuse que tout ça lui importe peu. Pff! Elle est probablement jalouse.

Bon. En attendant, je devrais prendre le temps de répéter ce que je voudrais dire à Annick. Je ne veux surtout pas avoir l'air d'une amatrice. «Bonjour Annick! Comment vas-tu? Bien merci! Oui, je suis auteure-compositrice-interprète! Tiens, regarde, c'est mon plus récent texte. Connais-tu quelqu'un qui pourrait être intéressé? Ah oui? C'est vraiment exceptionnel ce que j'ai écrit? N'exagère rien, j'ai écrit ça sur un coin de table au cours d'un après-midi tranquille...»

Vingt minutes plus tard, je regarde ma montre et toujours aucune trace d'elle. Je commence à m'inquiéter. Est-ce que je me serais trompée d'endroit? Je jette de nouveau un coup d'œil sur le petit bout de papier et je suis bien au bon endroit. Il ne reste plus qu'à attendre. Elle a dû être retenue quelque part. Les gens dans le show-business sont toujours très occupés, c'est bien connu. Je devrais peut-être me commander quelque chose à manger en attendant. J'ai faim.

Trois heures viennent de s'écouler et je fais tourner dans mon assiette le reste des pâtes que j'ai mangées plus tôt. Annick n'est jamais venue. Si ça se trouve, Jonathan lui a dit que j'étais trop mauvaise comme chanteuse et que ça ne valait pas la peine de venir me rencontrer. Je laisse un peu d'argent sur la table et fais le chemin du retour avec le sang qui bouillonne dans les veines. Jonathan est peut-être en train de me faire marcher! Il voulait probablement que je lui fiche la paix et c'est pour cette raison qu'il m'a fait croire que je rencontrerais quelqu'un du domaine. Pendant que je marche d'un pas plus que décidé, je passe en revue toutes les bêtises que j'ai l'intention de lui balancer à la figure lorsque je serai de retour à l'appart.

Une fois arrivée, j'entre en trombe, les poings serrés, et prête à lui dire tout ce que j'ai sur le cœur quand je me heurte à un mur. C'est comme si quelqu'un venait de me donner un coup de couteau en plein visage. Qu'est-ce qui se passe ici?

– C'est qui, elle?

Je me sens un peu comme ma mère en ce moment. Mes yeux s'agrandissent d'une manière que je n'aurais jamais crue possible et mes lèvres sont tellement serrées l'une contre l'autre que je les sens littéralement perdre toute couleur. Jonathan me regarde calmement et pose à nouveau son regard sur la fille installée près de lui, qui m'observe comme si j'étais cinglée. Il l'embrasse sur le front, tendrement, un peu comme il le fait – le *faisait* – avec moi, et ils se lèvent. Ils échangent tranquillement deux ou trois phrases, comme si je n'étais pas là et elle se dirige vers la porte. Au passage, elle me dévisage comme si j'étais une étrangère sous *mon* propre toit. Jonathan, lui, toujours comme s'il avait perdu sa langue, prend quelques chips dans un bol posé sur le comptoir. Tout ça le plus normalement du monde. Non mais, je rêve ou quoi?

FILLE À VENDRE

— C'était qui?

— Une amie.

— Une amie? Une amie! Me prends-tu pour une conne?

Il soupire et passe à ma hauteur. Je suis en rage. Non, pas une deuxième fois. Je refuse que l'histoire se répète. Il ne fera pas comme Patrick et sous mon nez en plus. Je le pousse de toutes mes forces et il en faut peu pour qu'il tombe à la renverse. Évidemment, il n'apprécie pas cette démonstration de mon mécontentement. Il charge sur moi et me plaque au mur comme si j'étais une vulgaire poupée de chiffon. Mon dos absorbe durement le choc. Il se presse tellement fort contre moi que je peux sentir les battements de son cœur, aussi intenses que les miens.

— Hé, tu me traites pas comme ça, OK! J'ai mis un toit sur ta tête et je ne te demande même pas une crisse de cenne!

— Je pourrais en avoir, de l'argent, si j'avais pu rencontrer Annick comme tu me l'avais promis! Elle est jamais venue!

Nous nous défions du regard. Finalement, il me lâche et prend son manteau qui traîne sur le sofa. Sans même commenter ce que je viens de lui dire!

— Avoue que tu la connais pas! Avoue que tu m'as menti!

Ma poitrine se soulève au rythme de ma respiration effrénée. Je me rends compte que Jonathan n'a pas l'intention de démentir ce que je viens de lui dire. C'est donc que c'est vrai. Il n'a jamais cru en moi. Cette réalité me frappe durement et je sens mon cœur se briser. Il ricane et ramasse ses clés sur la petite table dans l'entrée. Il ferme la porte derrière lui et ne se gêne pas pour la claquer. Je prends le verre sur la table basse et le lance en direction de la porte, même s'il n'est déjà plus là. Il éclate en un million de petits morceaux tandis que Tyson gémit et court se cacher dans une des chambres.

Je prends ma tête à deux mains et me rends compte que mon mal de crâne ne m'a jamais quittée. Les étourdissements non plus. On dirait que je suis toujours sous l'effet de ce que j'ai pris hier, mais tout ce qu'il me reste, c'est la douleur. Le plaisir est parti. Des larmes coulent en silence sur mes joues. Je n'ai même pas l'impression qu'elles sont salées. On dirait qu'elles goûtent autre chose. Oui, c'est ça, elles ont un goût amer.

Je décide d'appeler quelqu'un qui saura m'expliquer ce qui est en train de se produire.

— Allô ? répond une voix endormie.

— Iza ? C'est Leïla.

— Leïla ? *What's up ?*

— C'est Jonathan… on a eu une chicane, lui dis-je alors que mes sanglots redoublent d'intensité.

Je l'entends soupirer à l'autre bout du fil.

— OK… Ouais… viens chez moi, j'vais t'arranger ça.

Quelques minutes plus tard, après qu'elle m'a fourni toutes les indications pour me rendre chez elle, je suis en route vers l'appartement d'Iza. Même si Jonathan déteste que je sorte seule, je m'en fous. J'ai besoin d'aller prendre l'air. Je n'arrive pas à croire qu'il m'ait menti comme ça. Pourquoi, qu'est-ce que ça lui donne ? Et cette fille ? Monsieur se croit dans une relation ouverte, peut-être ? Je n'ai pas signé pour ça, moi. Je ne suis pas sa poupée, dont il peut disposer comme bon lui semble ! Ça ne se passera plus comme ça ! J'en ai assez.

Une fois que j'ai pris place dans l'autobus, mes paupières se ferment sans arrêt, même si je leur commande le contraire. Tiens, on dirait que, tout à coup, j'ai besoin de m'imaginer ailleurs. Ça faisait tellement longtemps…

Everything is fine, so, so fine
I'm living the way I want to live
I'm free, so free, just the way I wanted…
I…

La mélodie continue, mais pourtant, je ne chante plus. Ce n'est pas que j'ai oublié les paroles de la chanson (je l'ai écrite moi-même !), non, c'est parce que ça sonne faux, tout à coup. Je fais signe au technicien de son de cesser l'enregistrement.

— Qu'est-ce qui se passe, Leïla ? me demande le producteur.

— Je n'arrive pas à me mettre dedans. Je ne sais pas ce qui se passe.

— Ben, va falloir bientôt trouver c'qui ne va pas parce que tout ce beau monde n'a pas le temps d'attendre, affirme-t-il, l'air moqueur.

FILLE À VENDRE

Je regarde toute l'équipe qui s'est déplacée pour l'enregistrement de mon nouvel album. Je ne peux pas les décevoir.

— OK, on remet ça.

— Bon, ça c'est le genre d'attitude que j'aime! s'exclame le producteur pendant que je retourne dans la cabine.

La mélodie repart et je balance la tête de gauche à droite en suivant la cadence. Au moment où je prends une grande inspiration pour entamer les paroles de The Cost of Living Free, *la musique cesse. J'enlève mes écouteurs et interroge du regard le technicien.*

— Qu'est-ce que tu fais? Je suis prête, moi!

— Il faut que tu descendes de l'autobus.

— Quoi?

— Terminus, mademoiselle, tout le monde descend! crie le chauffeur.

Quoi? Mais je n'ai même pas eu le temps d'enregistrer ma chanson! Je regarde autour de moi. Je suis complètement perdue. Puis je comprends que j'ai sommeillé et que j'ai manqué l'arrêt pour aller chez Iza. Pressée par le chauffeur, je descends de l'autobus. J'aperçois une bande d'étudiants qui marche dans ma direction.

— Excusez-moi! C'est par où, la rue Dickson?

— Continue sur Sherbrooke Est, tourne à gauche et tu arriveras pile sur la rue que tu cherches.

– OK, merci.

Je les regarde s'éloigner, rieurs et insouciants. Il n'y a pas si longtemps, j'étais comme eux. J'allais à l'école et je rentrais chez moi, une bande d'amis à mes côtés. Je planifiais des soirées au cinéma, je faisais mes devoirs. Mon ancienne vie me manque. Peut-être que je devrais retourner chez moi, me dis-je en avançant dans la direction indiquée. Mais je suis déjà si loin d'eux. Et puis, ils ne me feraient plus confiance.

J'arrive enfin chez Iza, qui m'ouvre la porte en petite tenue. Son appartement est plongé dans le noir et une forte odeur de marijuana plane dans l'air. Trois filles et deux gars sont confortablement assis sur un sofa délabré et sniffent du meth. Je m'assois en face d'eux.

Une cigarette à la bouche, Iza s'assoit sur l'accoudoir du fauteuil où j'ai pris place.

– Alors, qu'est-ce qui se passe, ma belle ? Qu'est-ce qui va pas ? réussit-elle à marmonner entre ses lèvres.

– C'est Jonathan. Il m'avait dit qu'il m'aiderait pour ma carrière de chanteuse. Il avait promis de me faire rencontrer quelqu'un de l'industrie ! Mais elle s'est jamais pointée au rendez-vous ! Après ça, quand je suis rentrée à l'appart, folle de rage, il y avait une autre fille avec lui !

– Ouhhhhhh, c'est vraiment épouvantable ! commente-t-elle d'un ton sarcastique.

– Comment ça, « ouh » ? J'ai été trompée par mon ex, j'vais pas laisser Jonathan me refaire le même coup ! Ce serait trop con !

J'essaie de retenir les larmes qui menacent d'inonder mes joues. Je ne veux pas pleurer. Pas devant des gens que je ne connais pas! *Please!* Mais elles sont plus fortes que moi et, toujours aussi amères, elles se rendent jusqu'à mes lèvres.

– Oh, non! S'il te plaît, arrête de chialer! me lance Iza en levant les yeux au ciel. T'es plus un bébé! De toute façon, va falloir que tu t'y habitues. C'est comme ça que ça fonctionne. Va falloir que t'apprennes à partager ton «chéri». Tiens, prends ça au lieu de pleurnicher, dit-elle tandis qu'elle me prépare une ligne de petits cristaux blancs, ça va te faire du bien.

Qu'est-ce que c'est censé vouloir dire «Va falloir que t'apprennes à partager»? Je n'ai pas le temps de réfléchir, car Iza me presse d'aspirer. Sans rien dire, et à travers mes larmes, je renifle rapidement la ligne. La première fois que j'en ai pris, je me suis sentie tellement bien! Alors pourquoi pas?

J'ai la tête qui tourne. Vraiment vite. Ce que me fait cette petite potion est magique. Je me sens comme une fée. La fée des étoiles. Et c'est encore mieux depuis que la bande qui niaisait sur le sofa est partie. J'ai l'impression de semer le bonheur partout autour de moi. Je sautille et gambade dans l'appart d'Iza, comme s'il s'agissait d'une contrée lointaine et paradisiaque. Je m'arrête pour humer des fleurs que je suis la seule à voir, j'en suis certaine. L'appartement semble GI-GAN-TES-QUE.

Pendant ma danse, je suis séduite par l'ordinateur qui, soudain, m'apparaît comme un objet divin. Une aura rose plane autour de lui et m'attire irrésistiblement. Je n'ai pas le choix de m'avancer vers l'écran, comme hypnotisée par tant de beauté. Tiens ! Des alertes Skype réclament de l'attention ! Je pouffe de rire en ayant l'idée d'y répondre. Je dois mettre ma main sur ma bouche pour ne pas faire trop de bruit. Chuuuuuuut ! Iza dort dans le fauteuil ! Avec un sourire extralarge, j'accepte la demande de conversation. Le nom me dit vaguement quelque chose. Shorty. Oui, oui, c'est un des amis de Jonathan ! Je me mets à rire de plus belle. Je me plante devant la petite caméra et fais la moue comme Iza. Peut-être qu'il n'y verra que du feu !

— Hé, c'est pas Iza ! s'écrie-t-il.

— Ben non ! dis-je en me mettant à danser sur une musique imaginaire.

— Qu'est-ce que tu fais là ?

— Rien. Je danse pour oublier que Jonathan, c'est le pire des idiots.

— Qu'est-ce qu'il t'a fait ?

— C'est un con, c'est tout ce que t'as besoin de savoir !

J'entends Shorty rire. Je reviens vers l'ordinateur et m'appuie contre le tiroir sur lequel est installé le clavier.

— Tu bouges bien, ma belle.

— Merci !

— T'as envie de continuer à te trémousser pour moi ?

— Ouais, si tu veux !

Je m'y remets illico. J'enchaîne les mouvements de danse que je connais, mais ça ne semble plus l'intéresser.

– Non, pas comme ça… plus sexy. Touche-toi un peu !

Je m'arrête net, sérieuse, tout à coup.

– Ben là, je peux pas faire ça, j'ai un chum…, lui dis-je, gênée.

– C'est pas grave ! C'est juste de la danse. Et puis, je lui dirai pas, ça va rester entre nous.

Je le regarde et, pendant un moment, je suis presque certaine qu'il se dédouble. Je ne vois plus très clair. C'est comique. Puis je pense à Jonathan et à la fille avec qui je l'ai surpris, à son expression qui ne trahissait aucun signe de remords. Me donner en spectacle à Shorty serait une excellente façon de lui faire payer son mauvais comportement.

– OK, mais juste un peu.

– T'es super cool, Leïla !

Il se cambre dans sa chaise, et je me mets à danser sensuellement. Juste un peu cochon. Dans tes dents, Jonathan !

– Ouais, c'est bien. Continue, ma belle, j'aime ça.

11

Assise à la bibliothèque afin de réviser pour mon examen de la prochaine période, je suis incapable de me concentrer. Je n'ai que Leïla en tête. Depuis notre chicane, je n'ai plus eu aucune nouvelle. Je trouve ça louche. Je ne sais pas vraiment ce qu'elle fricote avec ce Jonathan, mais je trouve ça plutôt inquiétant comme situation. Je me sens de plus en plus mal avec le poids de ce secret. Je ne sais pas si je pourrai garder le silence plus longtemps. Sa famille est tellement angoissée à son sujet! Ça me fait mal de les voir dans cet état alors que je pourrais leur dire que Leïla m'a appelée deux fois et qu'elle va bien. En tout cas, de ce que je sais. Mais je lui ai promis de me taire. Sauf que plus le temps avance, moins je crois que c'est une bonne idée. Je repousse mon livre d'histoire et cogne mon front à répétition contre la table en me demandant ce que je devrais faire.

— Est-ce que ça va, Ariane?

Je me redresse brusquement. Patrick se tient devant moi, les deux mains dans les poches. Je lui réponds sèchement:

— Qu'est-ce que tu veux?

Il s'assoit en face de moi, comme si je venais de l'inviter à prendre place. Je soupire bruyamment pour lui montrer ma contrariété.

— C'est à propos de Leïla.

Je m'en doutais. Pourquoi serait-il encore venu me parler si ce n'était pas à propos de son ex qui a disparu depuis deux mois ? Ce n'est pas comme si nous avions été les meilleurs amis du monde du temps qu'il était avec elle. D'abord, si ce n'était pas de cet imbécile, ma *best* ne serait pas partie.

— Quoi, à propos de Leïla ? Comme tout le monde, je n'ai pas eu de ses nouvelles et c'est de ta faute !

Patrick fond en larmes. Dernière chose à laquelle je m'attendais. Je me sens mal de lui avoir balancé ça à la figure, même si je le pense.

— Euh... 'scuse-moi, Patrick, je voulais pas te faire pleurer...

— Je sais que c'est de ma faute ! Si j'avais pas couché avec Nancy, ça serait jamais arrivé !

— T'as vraiment couché avec elle, alors ?

— Oui... Et je me suis senti tellement mal après ! J'avais vraiment envie d'attendre Leïla, mais la pression était tellement forte avec les copains que je n'ai pas repoussé Nancy quand elle m'a approché à la stupide fête de sous-sol chez François ! Je... je regrette tellement !

— Est-ce que Nancy a été la seule ?

— Non...

Je soupire longuement. J'hésite entre la pitié et le dégoût. Il a vraiment trompé Leïla. Par contre, c'est évident qu'il s'en veut à mort. Je me sens un peu mal de le laisser comme ça de l'autre côté de la table à sangloter. Je me lève et le rejoins. Je ne suis pas certaine de ce que je devrais faire. Impuissante, hésitante, je place un bras autour de ses épaules. De prime abord, je trouve ce rapprochement aussi inopiné qu'inattendu. Toutefois, plus Patrick se laisse aller, plus je me laisse aussi aller à le consoler. Assis ainsi, à nous bercer dans le silence de la bibliothèque, nous pensons tous les deux à nos gaffes, mais surtout aux solutions que nous pourrions trouver. Comment partager ce que je sais ?

12

J'ai l'eau à la bouche juste d'y penser. Je frotte mes dents du bout des doigts comme s'il y avait de la poudre magique dessus. Mais il n'y en a pas. Et j'en veux vraiment! Je fais les cent pas. Je tourne en rond. Je sautille sur place. Je ronge mes ongles. Je m'assois pour tenter de me calmer, mais mes jambes se balancent dans un mouvement incontrôlable. Je ne sais plus quoi faire de mon corps. On dirait que tout est trop. Trop fort. Trop long. Trop court. J'en veux encore. Juste un peu. Après, j'arrête. Promis! Oui, je sais, c'est ce que j'ai dit la dernière fois. Et la fois d'avant. Je ne me suis pas arrêtée. Même pas une seconde. J'ai continué. Et continué encore, parce que je voudrais que ces moments féeriques ne s'arrêtent jamais.

Quand Jonathan est parti, il y a trois jours, il ne m'en a laissé qu'une quantité ridicule. Je lui ai dit que ce n'était pas suffisant, mais il n'a rien voulu entendre. Pourquoi m'en donne-t-il moins? Il sait à quel point j'aime ça. Ça devrait être le contraire! Il devrait m'en donner autant que je veux! Ah! J'ai mal au crâne! Je ne me rappelle plus c'était quand la dernière fois que j'ai mangé. Je n'ai pas dormi non plus. Mais je ne suis pas fatiguée. J'attends Jonathan. Il a appelé. Il a dit qu'il serait de retour d'ici une heure. Une heure. J'ai hâte. Il m'a dit que lorsqu'il serait de retour, il en aurait peut-être pour moi. Enfin ! Mon sauveur ! Une heure. Trop long.

Ça fait un mois. Un mois que je prends de cette petite poudre prodigieuse. Un mois que je prends un peu de ce qu'on s'injecte dans les veines. Un mois que je prends un peu de ce qu'on fume. Ce mois de janvier est à marquer au fer rouge dans le calendrier ! J'ai découvert plein de « créateurs de bien-être instantané » et ils ont tous des noms rigolos. Mais il y en a un que j'ai retenu et c'est lui que je préfère. *Ice*. Par rapport aux autres, l'effet est presque instantané. Je danse. Je cours. Je chante. Je ris. Je crie. Je pleure. Je regarde les étoiles. Transe ! Peur. Angoisse ! Calme. *Smooth* !… *Mix* merveilleux ! Lumière venue d'ailleurs ! J'en veux ! J'en veux toujours un peu plus. Juste un peu. Je veux encore me sentir surhumaine. Comme Wonder Woman ! Fière. Héroïque. Indestructible.

OK. OK. Je l'avoue. Je l'avoue ! Tout n'est pas seulement rose. Je ressens certains effets, disons, indésirables. Je suis toujours malade. La moindre grippe ou gastro qui traîne, je l'attrape, et j'en ai pour des jours avant de m'en sortir. Je perds des bouts de dents. Aussi ridicule que ça puisse paraître…

Des fois, j'ai l'impression que des gens me surveillent. Souvent, je crois voir papa et maman qui me regardent durement en se demandant ce que je suis en train de faire. « Méchante fille ! » qu'ils me disent. D'autres fois, c'est les étourdissements, les nausées, la diarrhée… Mais peu importe, je ne veux pas penser à tout ça. J'en veux juste encore un peu. Un peu. Je me sentirai beaucoup mieux après et tous ces petits problèmes seront bien loin dans ma tête.

Et avec des gars du gang, y a eu ces moments où je jouais à la poupée. «Poupée, poupée! Fais ce qu'on te demande!» Alors, je le faisais. Ils étaient là et se pavanaient avec leur sac plein. Plein de poudre. Débordant. Pendant que moi, j'étais en manque! Je faisais pitié. «Hé, j'en veux, moi aussi!» Ils ont éclaté de rire. Je me suis mise à genoux. J'ai joint les mains. Pour supplier. Ils ont ri de plus belle. «Baise mes pieds!» Je l'ai fait. «Montre-nous tes fesses. Tes seins. Danseeeee!» Je me suis exécutée. Puis, pour me récompenser, ils ont jeté de la poudre par terre. Nooooooon!!! On aurait dit qu'il neigeait. J'ai ouvert la bouche et sorti la langue pour attraper les flocons. Le reste, je l'ai léché. À même le sol. Faut pas en perdre, bande de débiles! Pas une miette. Oh! Que c'était bon! Encore! Encore! Jonathan n'a pas besoin de savoir. C'est notre secret, aux gars et à moi. Ils m'ont promis de ne rien dire. J'en veux encore! J'en ai besoin.

J'entends du bruit dans l'entrée. Jonathan! Enfin, mon amour qui m'apporte ce dont j'ai besoin! Je délaisse mes ongles que je rongeais jusqu'au sang. J'accours à la porte et sautille comme un petit chien affamé. Tyson s'avance pour demander un peu d'attention lui aussi, mais je lui envoie un coup de pied dans les côtes – plus violent que je ne l'aurais voulu – pour qu'il se tasse. Moi d'abord!

Je ne prends même pas le temps de saluer Jonathan. Je croasse d'une voix rauque:

– Est-ce que… est-ce que t'en as?

Il me regarde, l'air surpris, mais en même temps, un sourire malicieux festoie doucement sur ses lèvres. Qu'est-ce qu'il célèbre, ce sourire ? De toute façon, les sourires ne sont pas censés danser ! Ils restent fixes, d'habitude, non ?

— Quoi ? dit-il, même s'il sait très bien de quoi je parle.

— De la poudre…, fais-je à mi-voix.

— Quoi ? Je t'ai pas entendue, me fait-il croire en mettant sa main à l'oreille, comme pour mieux m'entendre.

— De la poudre, un joint, que'que chose crisse !

Ouais. Je sacre maintenant.

— Oh ! Ça !

Il ricane et va s'installer sur le sofa. Il écarte les jambes, dépose les coudes sur ses genoux, entrecroise ses doigts et me regarde. J'ai l'impression qu'il m'invite à m'asseoir moi aussi, mais je ne tiens pas en place. Je ne peux pas m'asseoir.

— Alors, est-ce que t'en as ? je lui répète.

— Ça dépend.

— De quoi ?

Il rit encore. Il se moque de moi. Il fait ça juste pour m'agacer. Il voit très bien que je n'ai pas envie de jouer à ses petits jeux débiles.

– Tu vois, ça va faire deux mois et demi que je t'entretiens. Deux mois et demi que je t'achète tout ce que tu veux. Je chiale pas, j'te traite comme une petite princesse. Je passerai pas par quatre chemins : ça commence à coûter cher. Je me suis endetté, moi, et là, j'ai des problèmes. Et maintenant, en plus, enchaîne-t-il en insistant bien sur le « en plus », tu veux que je te fournisse en drogue ? *Come on !*

– Tu… t'as des problèmes à cause de moi ?

– T'es stupide ou quoi ? Tu penses que ça pousse dans les arbres, l'argent ? Bien sûr que j'ai des problèmes !

– Qu'est-ce que tu veux que je fasse ?

– Travaille.

– Je peux pas ! Si je travaille, ils vont me retrouver, et je ne veux pas retourner là-bas ! Tu le sais ! Toi même, tu disais que ça irait mal si je rentrais chez mes parents ! Je veux rester avec toi !

– Je comprends, dit-il sur un ton plus conciliant. Mais il faut que tu comprennes que si on veut que ça marche, toi et moi, les dépenses doivent être plus équitables. Avec cette dette que j'ai à cause de toi, ça nous rend pas les choses faciles… J'pourrais même perdre l'appart !

Perdre l'appart ? Je me sens affreusement mal en me repassant mentalement le film des derniers mois. Des mois où j'ai vécu comme une reine. Bijoux. Fêtes. Sorties. Vêtements. Chaussures. Drogue. À combien doit s'élever cette dette ? Ça doit être une somme phénoménale ! Comment je suis censée l'aider à rembourser tout ça, sans travail ?

L'excitation que j'avais il y a à peine quelques secondes, juste à l'idée de recevoir ma dose, se transforme soudainement en angoisse. *Fuck.* Je veux trop de choses en même temps. Il faut que je priorise. Jonathan ou le meth ? Je veux les deux. En même temps ! Je rugis intérieurement tandis que j'inspire et expire de manière saccadée.

Il se racle la gorge et me regarde par en dessous, avec un sourire en coin. Il sait à quel point j'adore quand il fait ça.

— Calme-toi, Leïla. Ça va aller. J'ai peut-être quelque chose de facile à te proposer qui effacerait tout en un clin d'œil, mais… nah ! J'pense pas que tu sois *game*…, fait-il en balayant sa phrase du revers de la main.

Je crie, complètement hystérique :

— C'est quoi, c'est quoi ? Je peux faire n'importe quoi. Je suis prête à tout !

— OK, si t'insistes … C'est simple. La seule chose que t'as à faire, c'est danser et montrer un peu de peau. Si tu fais bien ça, on va te donner beaucoup d'argent et moi, avec ça, je pourrai rembourser ma dette. Ça peut aller jusqu'à quelques milliers de dollars par jour.

— Danser ? Mais… Mais… je sais pas danser, moi !

— Tu te moques de moi ? Et tous ces soirs où t'étais complètement bourrée et que t'es montée sur les tables pour danser comme une petite cochonne ? Tu penses que j'sais pas aussi c'que t'as fait pour Shorty et les autres gars ?

Le traître! Il lui a dit! Il m'avait promis qu'il garderait ça pour lui! Mais... c'était seulement pour me venger! Je voulais me venger de ce que Jonathan m'avait fait! Parce qu'entre nous, plus rien n'est pareil! C'est tout. Mais... et... et les autres fois, alors? Celles où j'ai dansé pour un peu de drogue? Celles où j'ai dansé pour Zenzo et tous les autres aussi, quand on se retrouvait chez Iza ou dans une de nos nombreuses fêtes? Ça ne comptait pas non plus! On était entre nous, entre amis! Ils ne faisaient que regarder et, en échange, ils me donnaient mon *fix*. *Ma* drogue. Pour me remettre les idées en place. C'était du marchandage. Pour mon *fix*. Rien de plus!

Lorsque je pose les yeux sur Jonathan, il semble avoir suivi mon raisonnement. Il se lève, vient près de moi et se met à me caresser doucement le bras. Comme il le faisait avant. Ça fait si longtemps qu'il n'a pas été *sweet* avec moi! Je me laisse bercer par ses cajoleries et frissonne.

– Tu pensais que je savais pas?

– Je...

– C'est pas grave, princesse, je te pardonne. Pour ce que je t'ai proposé, tu vas voir, c'est la même chose. Avant, tu jouais à la salope juste pour le *fun*, maintenant, tu vas pouvoir le faire pour avoir ce que tu veux. Si tu m'aimes, tu vas faire ça pour moi, hein? Tu veux pas que j'aie des ennuis à cause de toi?

Il a raison. Après tout ce qu'il a fait pour moi, je lui dois bien ça. Et puis, je l'aime. Je l'ai déjà fait, c'est vrai, et c'est pas grand-chose. Ce n'était pas pour les mêmes raisons, mais là, c'est pour sortir Jonathan du merdier dans lequel je l'ai fourré. J'ai été tellement égoïste. Moi, moi, moi! Tout le temps... Et des milliers de dollars, juste pour danser un peu cochon, c'est beaucoup d'argent pour peu d'efforts. Ça me paraît un bon plan. Non?

– OK...

– OK, quoi?

– Je... Je vais le faire. Je vais danser. Pour toi. Parce que je t'aime et que je veux pas que tu aies des problèmes.

– Je reconnais bien là ma princesse. Mais faut que tu saches que c'est beaucoup d'argent, ce que tu me dois. Le loyer, les vêtements, les chaussures, les soirées, la drogue...

– Je pourrais commencer quand?

– Ce soir.

Comme Jonathan m'a dit de le faire, je me suis habillée sexy afin d'être prête à monter sur scène. J'ai enfilé un ensemble en dentelle noire qu'il m'a offert il y a environ trois semaines. Quinze minutes de voiture plus tard, on s'arrête devant un hôtel miteux. Qu'est-ce qu'on vient faire ici? Je ne comprends pas et tout se chamboule dans ma tête. En même temps, je suis sur le *high* de ce que m'a donné Jonathan tout à l'heure. La peur et le *thrill* me tiraillent l'estomac.

Une fois à l'intérieur, l'endroit m'apparaît des plus banals. Pour ne pas dire minable. Nous passons devant un petit bureau où une Asiatique d'un certain âge est assise, une cigarette à la bouche. Elle nous regarde sans dire un mot et nous passons derrière la réception.

Tandis que nous marchons dans ces corridors que Jonathan semble connaître par cœur, il me demande de le laisser faire et de me taire. Un instant plus tard, nous arrivons à l'endroit qui semble être le point central du bâtiment. Jonathan salue du monde de la main ou de la tête, donne des bisous à des filles vêtues légèrement. Elles me regardent de haut. Il est clairement un habitué de la place. Nous passons près de ce qui ressemble à une scène de fortune. Un attroupement d'hommes à moitié soûls crient à une fille qui danse de se faire aller les fesses plus fort. Son visage est vide. On dirait qu'elle n'entend pas ce qu'ils lui disent. Comme si… comme si elle faisait seulement ce qu'elle a à faire.

Jonathan m'amène à «l'arrière-scène». Là, ça sent l'urine et le sexe à plein nez. C'est crasseux. Il y a des chambres de part et d'autre du couloir et il y a de l'action là-dedans. J'entends des filles gémir, des hommes en redemander plus. En passant devant la dernière chambre – pas plus grande qu'une penderie –, dont la porte est entrouverte, mon regard croise celui d'une fille aux yeux verts. Elle est penchée vers l'avant pendant qu'un homme se tient derrière elle, enfonçant ses doigts grassouillets dans sa peau. Ses boucles d'oreilles ponctuent le mouvement de va-et-vient; à chaque coup de reins, elles font un saut vers l'avant. Je n'oublierai jamais l'expression de son visage. Comme si elle me disait «sauve-toi pendant qu'il est encore temps». Une sueur froide perle sur mon front. C'est ça qui m'attend? Même si j'ai envie de prendre mes jambes à mon cou, je reste figée sur place.

Qu'est-ce qui m'arrive ? Tout ça, c'est tellement pas moi ! Mais j'ai trop besoin de mon *fix*.

Jonathan m'ordonne de rester là et de ne pas bouger. Il va voir un gros gorille installé sur un tabouret et ils parlent de moi, je les entends.

— Elle est pas un peu jeune, Young Gun ?

— Ben non, Dan, elle a dix-huit ans.

Alors voilà le fameux Dan. Je tourne lentement la tête et nos regards se croisent. Je me détourne et m'applique à fixer le sol pendant que Jonathan poursuit.

— De toute façon, ils aiment ça quand elles ont l'air jeune et elle a ses cartes. Elle est prête à n'importe quoi. Elle va rapporter.

— Elle vient d'où ?

— De la banlieue. T'en fais pas, elle est loin de chez elle.

Pour le reste, je ne sais pas ce qu'ils se disent, car je me dirige vers les toilettes. Un écriteau mal aligné en haut de la porte délabrée indique « femme ». Même s'il n'y a qu'une seule et unique toilette, deux femmes sont dans la pièce et elles me remarquent à peine lorsque je fais irruption. Une est assise sur le sol, de toute évidence en état d'intoxication avancée, et elle donne l'impression qu'elle va s'évanouir à tout moment. L'autre se tient devant un grand miroir et applique d'une main tremblante un *gloss* sur ses lèvres sèches et craquelées. Je m'avance vers le miroir et elle m'offre un sourire aux dents jaunies.

– Hé, Mireille ! T'as vu, on a une p'tite nouvelle ! D'la viande fraîche !

La femme avachie sur le plancher ne réagit pas, trop concentrée à ne pas laisser sa tête frapper le carrelage dégoûtant.

Je reporte mon attention vers la glace. Je jurerais qu'ils m'appartiennent, ces yeux que mon reflet me renvoie, mais pourtant, je ne me reconnais pas. J'éprouve une horrible sensation d'étouffement en prenant peu à peu conscience de ce qui est en train de se jouer dans cette pièce minable. Paniquée, je remarque alors le regard vide de la fille affalée au sol. Elle vogue lentement vers la noirceur.

À travers ces femmes – qui sont en fait des reflets de moi –, je m'observe froidement, avec dégoût. Qu'est-ce que je suis en train de devenir ? Toutes deux me dévisagent d'un air dur. « Regarde c'que t'as fait. Il n'y a plus moyen de faire marche arrière. » Non ! Je ne voulais pas tout ça ! Je… Je deviens quelqu'un d'autre ! S'il vous plaît, ouvrez une fenêtre ! J'ai besoin d'air ! Mais si vous voyez Leïla qui se sauve, rattrapez-la ! Rattrapez-moi ! Je m'en vais ! Je ne suis plus moi !

Mon corps est pris de tremblements. Comme s'il se débattait pour me garder. Je ne suis pas certaine qu'il gagne la bataille.

La fille qui se maquillait me crie quelque chose.

– Hé, ça va, la p'tite nouvelle ?

Devant mon silence et mon corps secoué de tressaillements, on dirait qu'elle comprend. Elle se rapproche, d'un pas boiteux et chancelant, et me serre entre ses bras squelettiques.

– Ça va aller, ma toute belle, calme-toé, calme-toé. C'est ça, calme-toé, chuuuuuut. Tu vas voir, c'pas si pire.

Tandis qu'elle me chuchote ces mots à l'oreille, je réalise que mon destin est scellé. Elle le sait. Elle est passée par là, elle aussi. « C'pas si pire. » Elle sait ce que c'est de se rendre compte, d'un moment à l'autre, qu'on n'est plus soi-même. Elle relâche son étreinte pour se rendre au lavabo où traîne une perruque rouge.

– Tiens, cadeau. C'tait ma toute première, dit-elle, une pointe de nostalgie dans la voix. Elle va te porter chance, conclut-elle en la plaçant théâtralement sur ma tête.

Je ne parle pas. Je suis hypnotisée par mon nouveau reflet dans la glace.

– Va, m'encourage-t-elle en me poussant à l'extérieur de la pièce.

Coiffée de ma nouvelle chevelure, je retourne à l'endroit où Jonathan m'avait laissée.

– T'étais où, bon sang ?! J'te cherchais, moi !

Devant mon silence, il n'insiste pas.

– Bon, *anyway*, tout est arrangé, c'est bientôt ton tour, princesse. Fais-moi honneur, là ! En passant, j'aime ça, la perruque rouge !

Machinalement, j'enlève mon manteau. Pendant que je m'exécute, même si j'ai pris conscience qu'il existe maintenant un fossé entre Leïla et l'autre moi, la nouvelle moi, je me demande ce que je suis en train de faire. Je n'aurais jamais cru aboutir ici un jour. Jamais. Mais pourquoi me serais-je imaginé un jour si sombre, d'abord? Je suis certaine qu'il n'y a pas une fille de mon âge qui se dit qu'un bon jour, elle ira danser nue pour gagner de l'argent, payer sa drogue et rembourser son copain. Pas une. Mais est-ce que Jonathan me ferait ça, s'il m'aimait vraiment? Je veux dire, quand on aime quelqu'un, on veut le garder pour soi seulement, non? On n'a pas envie que tout le monde voie ses seins, ses fesses, son… je me trompe?

Cette fois, la drogue que j'ai prise n'a pas d'effet sur moi. Où sont les étoiles, les petits nuages mauves qui m'emmènent danser sur la Lune? Je ne pourrai pas faire ce qu'on attend de moi sans tous les effets spéciaux que m'apporte ma dose. Je n'y arriverai pas! Je demande un verre à Jonathan. Ça me servira de stimulant. Il me donne un petit verre rempli d'un liquide transparent qu'il me presse de boire d'un seul trait. Je me mets à tousser, tellement cet alcool est fort, mais il m'en donne un autre, rempli cette fois d'un liquide brunâtre. Je peux lire «whisky» sur la bouteille.

J'entends une musique techno crachée par les haut-parleurs à un volume ridiculement haut. Je ne sais pas si c'est mon tour, mais je me dirige vers cet endroit inconnu où je me donnerai en spectacle. C'est à mon tour. Je vais avoir ma dose. Mon *fix*. Je *dois* avoir mon *fix*. Si je fais bien ce qu'on attend de moi, tout ira bien.

Je monte sur la scène de fortune, un énorme projecteur dirigé en plein sur mon visage. Pendant un instant, je ne suis pas certaine de ce que je devrais faire. En une fraction de seconde, j'ai perdu l'aplomb qui m'habitait. Je ne sais pas si je devrais tout de suite enlever le peu de vêtements que j'ai sur le dos ou danser avant. C'est loin d'être aussi facile que le laisse paraître Demi Moore dans *Striptease*. Personne ne m'a dit comment ça marchait, exactement. Je sens l'adrénaline fuser dans mes veines à une vitesse folle, mais je reste là, pétrifiée. Ce n'est pas non plus comme je l'imaginais. Je ne pensais pas que je serais si proche de mon «public». On dirait qu'ils n'ont qu'à tendre un bras pour pouvoir me toucher. Non, ce n'est pas ce que je croyais.

Les vieux soûlons commencent à s'impatienter et à me lancer des injures. «Allez, bouge, salope!» Je ferme les yeux, souhaitant être ailleurs, mais je suis tiraillée entre le désir d'endormir la douleur avec mon *fix* et Leïla qui cogne partout en moi pour me dire de me réveiller et de prendre la fuite. Mais quand je les rouvre, je suis toujours dans le même vieil hôtel miteux. Je n'ai plus le choix. Il faut que je me lance. Mon Dieu. Vraiment? C'est comme quand on veut mettre la machine en marche. Ouvrir la lumière. C'est le temps. Le temps de mettre la *switch* à *on* et de voir ce qui se produira.

Je porte un soutien-gorge de dentelle noire, qui en laisse deviner beaucoup trop, et une culotte brésilienne de la même couleur, qui en laisse voir tout autant. Patrick aurait adoré me voir comme ça... Les hommes se mettent à hurler. «Elle commence enfin!» Je ne m'en étais pas rendu compte, mais j'ai commencé à bouger. Leurs cris agissent sur moi comme un moteur. Doucement, langoureusement, au son de la musique qui est passée du techno à un rythme plus langoureux. Un coup de hanche à gauche, un coup de hanche à droite et je pose mes mains sur ma taille. Je remonte, très lentement, en ondulant le reste du corps jusqu'à ce que, baladeuses et frivoles, mes mains se posent sur mes seins. Des cris de joie. «Ouais, vas-y, bébé, tu sais comment nous allumer!» Je m'applique à caresser ma poitrine avec plus d'intensité, sensuelle, mais à la fois rageuse de devoir m'exhiber ainsi.

Au moment où la musique devient plus dramatique, je me lance sur le poteau chancelant et marche tout autour. Je m'arrête à la moitié de mon pivot pour m'appuyer contre le poteau de métal froid et descends tranquillement, jambes écartées, jusqu'en position accroupie. Je porte la main à mon entrejambe et là, c'est l'hystérie…

Je suis dans une chambre magnifique. Une chambre d'hôtel spécialement décorée pour moi. Ce soir, je suis l'invitée d'honneur de l'hôtel W de Londres. Après une journée d'entrevues, de promotion et d'apparitions à diverses émissions de télé, je m'accorde un repos bien mérité. Demain, il faudra recommencer le même manège afin de faire la promotion de mon tout nouvel album, Chained.

Suspendu au plafond, un magnifique chandelier de cristal rose tournoie doucement. Je me place en dessous et tourbillonne au même rythme pour faire virevolter mon déshabillé blanc, le sourire aux lèvres. Je me dirige ensuite d'un pas léger vers ma coiffeuse rose bonbon afin de retoucher mon rouge à lèvres.

J'entends la porte qui s'ouvre. Son casque de moto à la main, sa veste de cuir sur le dos, Jonathan se tient dans l'embrasure de la porte. Mes cheveux flottent doucement dans le courant d'air qu'il vient de créer et qui amène avec lui une odeur de pluie. Il claque la porte derrière lui et s'avance vers moi d'un pas sûr tandis que je me languis de son étreinte. Quand ses bras s'enroulent

finalement autour de mon corps, je sens tout mon être chavirer et je
m'abandonne aux caresses sulfureuses de Jonathan.

— *On dirait que t'as fait ça toute ta vie !*

— *Je sais ! Chanter, c'est ma vie, dis-je en portant la main à son*
épaisse chevelure.

— *Chanter ? Qui te parle de chanter ? Je parle de ta manière de*
danser, moi ! Je pensais pas que tu bougeais comme ça !

— *Pardon ?*

— *J'pensais pas que tu dansais comme ça ! Tu m'impres-*
sionnes ! Je t'ai bien choisie, princesse !

De retour à la réalité. Plus de chambre douillette dans un
hôtel luxueux. Rien qu'un endroit sombre et sans lumière où
plane toujours cette même vieille odeur d'urine et de sexe.
Choisie ? Je pensais qu'on s'était choisis, parce qu'on s'aimait !

— J'ai fini. J'ai fait ce que tu m'avais demandé. J'en ai besoin.
Mon *fix*. Maintenant !

— Pas si vite. C'est loin d'être fini, princesse. Il y a quelqu'un
d'intéressé à passer un peu de temps avec toi dans une chambre.
T'as qu'à faire ce qu'il te demande. Si jamais il te demande ton
nom, tu ne t'appelles pas Leïla, ce soir. Trouve autre chose qui
te plaît.

Je réponds « OK » comme un automate.

FILLE À VENDRE

Mon objectif est simple : avoir mon *fix*. Si je dois faire ça, soit.

– Bonne fille. Tiens, prends ça, ça va te faire du bien en attendant. C'est aussi bon que c'que j'te donne d'habitude.

Je m'empresse de faire descendre les trois petites pilules que Jonathan m'a données avec une autre rasade de whisky.

– Je t'aime, tu le sais, hein ?

Il s'approche alors de moi et dépose un baiser sur mes lèvres. Au début, je n'en avais pas envie, mais quand il a posé sa main sur mon sein et qu'il a chuchoté à mon oreille que j'étais sa princesse à lui tout seul, je me suis mise à lui rendre ses baisers, ses câlineries. Je sais que je ne devrais pas. Que tout ça n'est pas bien. Que mes parents le tueraient pour ce qu'il me fait subir. Mais j'aime Jonathan. J'aime ce qu'il me fait physiquement, j'aime les idées qu'il me met dans la tête. J'aime la personne que je suis avec lui. Ou l'idée de ce que je suis, je ne sais plus. Tout ce dont je suis certaine, c'est qu'avec lui, je suis libre et sans limites et que je m'épanouis. Je suis la personne que je n'aurais jamais rêvé d'être. Je suis finalement femme. Quelle fille de mon âge est en mesure d'affirmer ça ? Oui, c'est sûr. Moi, j'ai de la chance.

Il me reconduit à la chambre où je dois attendre mon... client. Mon premier client. Il me dit : «Je vais être là pour te prendre après», et me sourit. Je lui rends son sourire. Je m'installe dans la même chambre que la fille aux yeux verts. J'ai d'ailleurs l'impression d'y sentir encore sa présence. Je m'assois sur le banc qui fait tout le tour de la petite pièce circulaire et caresse doucement le tissu de velours vert forêt à motifs de fleurs dorées. Il serait presque joli s'il n'y avait pas toutes ces taches de sperme séchées dessus.

Le rideau s'entrouvre. On dirait que le gars derrière est gêné d'entrer. Je penche la tête pour voir de qui il s'agit. Il est petit et énorme et boutonneux. Je dirais qu'il est environ dans la mi-vingtaine. Il vient s'asseoir à côté de moi. Encore une fois, c'est le temps de mettre la *switch* à *on*.

— Salut.

Il joue nerveusement avec ses mains. Je lui demande :

— C'est quoi, ton nom ?

— Benoit. Et toi ?

Je prends le temps de réfléchir un instant. Ce soir, je ne suis plus Leïla. Je suis une autre.

— Butterfly.

— C'est *cute*, dit-il dans un rire niais.

— Merci… Tu… T'as envie de quoi ?

Silence. Il continue de jouer nerveusement avec ses mains. Le fait qu'il soit gêné me met plus à l'aise, on dirait. La drogue doit aider, car je sais que, pour sa part, Leïla aurait été tout aussi gênée. Quoi qu'il en soit, je vois bien que c'est à moi de prendre les rênes. Je me place alors à ses genoux et commence à détacher sa ceinture. Je fais comme Iza. Je suis l'exemple qu'elle m'a donné il y a quelques semaines de ça. Il se laisse mener.

Je lui ordonne de se lever et il s'exécute. Son pantalon glisse le long de ses jambes et il ne porte pas de sous-vêtements. Quand je soulève sa chemise, un pénis déjà en érection surgit devant ma face. Il est dégoûtant. On dirait qu'il est aussi boutonneux que son visage. D'énormes pustules le recouvrent. Quelque part à l'intérieur de moi, Leïla me hurle de ne pas y toucher. Il doit être atteint d'une ITS, crie-t-elle. Mais Butterfly a besoin de son *fix*, alors ferme-la, Leïla.

Je lève les yeux vers lui et il me sourit.

— J'ai l'impression qu'on va bien s'amuser, toi et moi.

De grosses gouttes de sueur coulent le long de mon visage pour aller s'écraser dans mon décolleté. Je n'ai jamais sué comme ça. Tandis que je suis assise dans une petite pièce sombre, la porte s'ouvre. Tous mes muscles se raidissent. C'est mon client. Mon cœur bat comme un fou.

C'est un homme d'un certain âge, aux cheveux grisonnants. Il porte un complet-cravate et donne l'impression d'être un homme important. Il vient s'asseoir près de moi. Ce soir, la *switch* reste obstinément à *off*.

Il y a quarante-huit heures, j'ai fait des choses dont je ne me serais jamais crue capable, avec un homme que je ne connaissais même pas. Ce soir-là, quand il a atteint l'orgasme pour la deuxième fois, alors que j'étais toujours à genoux à ses pieds, il m'a lancé au visage des billets de vingt dollars que j'ai regardés tomber autour de moi pour former une petite flaque. Une flaque de billets pour la pute que j'étais devenue à l'instant. J'ai essuyé mes lèvres sur mon avant-bras et je suis restée là, à genoux, à attendre je ne sais trop quoi. Mon corps ne bougeait pas, mais mon cerveau, lui, bouillonnait. Y résonnaient les pires insultes. «T'es qu'une pute!», «T'es souillée pour toujours!», «T'es une honte!», «T'es à vomir!». Qu'est-ce qu'il y a de pire que de se faire crier des injures? S'en crier à soi-même.

Après cette soirée, Jonathan m'attendait, comme prévu. Il m'a ramenée à l'appart où je me suis rapidement endormie, engourdie par l'alcool et la drogue, épuisée par toutes les émotions que j'avais vécues. Le lendemain matin, la vraie Leïla était de retour, lucide et à jeun. J'ai couru à la douche où je n'ai pas arrêté de me frotter et de me frotter jusqu'au sang. Mais rien n'y a fait. J'ai crié, j'ai pleuré, je me suis planté les ongles dans la peau en espérant qu'une nouvelle moi se trouve en dessous, mais je n'ai découvert que le rouge de ma chair. J'ai tenté de trouver les mots pour me définir, mais ils ne venaient pas. Il n'y a pas si longtemps encore, je savais que j'étais Leïla Desrochers, la fille qui voulait devenir une grande chanteuse. Maintenant, même si je ne voulais pas me l'avouer, il n'y avait plus qu'un seul mot pour me décrire. Putain. J'ai réalisé que j'étais polluée pour toujours, et je ne voulais pas me contaminer davantage.

Durant cette soirée, si j'avais eu toute ma tête, je n'aurais jamais rien fait de tout ça. Leïla m'en aurait empêchée. Par contre, à ce moment-là, je me sentais presque bien. J'avais un voile sur les yeux. J'étais quasiment fière de ce que je venais d'accomplir, surtout que Jonathan était content parce que je lui avais rapporté beaucoup d'argent. Je ne sais pas combien. Il en a pris la majeure partie et ne m'a remis qu'un billet de vingt dollars. Après quoi, il m'a tendu un sachet de poudre blanche. «Mon précieux», comme dirait Gollum dans *Le Seigneur des anneaux*. Je l'ai vidé en un temps record.

Depuis, Jonathan refuse de me réapprovisionner. Et pourtant, rien n'a changé, j'en veux encore plus! Pourquoi est-ce qu'il me fait toujours le même sale coup?

Quelques minutes plus tôt, il m'a dit que si je voulais obtenir ce dont j'ai besoin, je devrais obéir à cet homme. Je dois me faire violence pour ne pas m'enfuir. Je n'ai pas envie d'être ici. Je veux ce qui me revient de droit, mais pas comme ça. Pas ici. Pas en faisant *ça*.

– Bonsoir, dit l'homme au complet-cravate, d'une voix grave et profonde.

Je lui oppose un regard furieux en guise de réponse. Ignorant mon attitude, il lève la main vers moi, la pose sur ma joue et me caresse doucement. Agacée, j'ai un mouvement de recul.

– Oh, elle est farouche! J'aime ça.

Il me saisit la main pour la placer entre ses cuisses.

Je bafouille en fondant en larmes:

– Non! J'en ai pas envie! Laissez-moi tranquille!

– Allez, ne fais pas la difficile!

Cette fois, il m'empoigne par les épaules pour me forcer à me lever. Il me plaque contre le mur, mais je résiste et je lui crache au visage. Une claque atterrit sur ma joue. Je ne l'avais pas vue venir. Le client sort de la pièce à grands pas rageurs. Soulagée, je me dis que je vais pouvoir rentrer à la maison.

Quelques secondes plus tard, Jonathan fait irruption dans la pièce. Il vient me réconforter! Il va me dire que cet homme n'était qu'un crétin! Je savais que je pouvais compter sur lui! Mais lorsqu'il arrive à ma hauteur, ses yeux sont remplis d'éclairs.

— C'est quoi, l'affaire? Pourquoi tu t'occupes pas de cet homme?

— Il me fait peur! J'ai pas envie! Je vais travailler, mais pas ici, OK? Je peux faire autre chose! Je vais te rembourser, tu n'auras plus de problèmes et on va s'aimer comme avant, mais pas comme ça! Ramène-moi à la maison, s'te plaît! lui dis-je alors que tout mon corps tremble de manière incontrôlable.

C'est comme ça depuis un moment déjà, je tremble sans arrêt. Deux jours, trois, une semaine? Je ne sais plus. J'ai perdu la notion du temps.

— Comment ça, tu veux pas? Tu penses vraiment que tu pourrais faire autre chose? T'es qu'une bonne à rien! Là, je vais gentiment demander à ton client de revenir, pis tu fais ce qu'il te dit, OK?

Il rebrousse chemin vers la porte.

— Non!

Il s'arrête.

– Pardon ?

– Non ! J'le ferai pas ! J'veux plus !

Il se retourne lentement vers moi.

– Tu penses que c'est toi qui décides, ici ?

– C'est ma vie !

– Oh non, plus maintenant ! T'as oublié que tu me dois beaucoup d'argent ?

– Non, mais…

– Alors, fais c'que j'te dis, beugle-t-il comme un loup enragé.

Pas question ! Je décide d'aller à l'encontre de ce qu'il veut. Je me dirige donc d'un pas déterminé vers la porte. Dès que je suis à la hauteur de Jonathan, il me décoche un solide crochet de la gauche qui m'envoie valser à l'autre bout de la pièce. Je suis complètement sonnée. Tout ce que je sais, c'est qu'il quitte la pièce. Et avant que mes yeux ne se ferment, je l'entends dire :

– Attends, Jacques, pars pas ! J'vais t'en trouver une plus docile ! affirme-t-il en riant. Mireille, viens ici !

13

— Leïla sera là, pour mon anniversaire ?

Me voilà bien étonné. Je ne pensais pas que Sophie se posait ce genre de question. C'est vrai que son anniversaire est dans deux semaines et que, d'habitude, Leïla chante pour elle. Ça a toujours été le meilleur moment de la fête.

Qu'est-ce que papa et maman lui répondent quand elle leur pose ce genre de question ? Comment je pourrais le savoir, de toute manière ? Quand nous avons franchi le cap des deux mois de la disparition de Leïla, ils se sont séparés. Depuis, papa vit à l'hôtel et a recommencé à se tuer à l'ouvrage pendant que maman passe ses journées entières au téléphone et sur Internet à faire des recherches pour retrouver Leïla. Ses nuits, elle les passe à pleurer. Ils se sont quasiment entretués, chacun se reprochant le départ de Leïla. Maman disait que papa était trop froid et papa lui reprochait d'avoir négligé leurs enfants pour poursuivre un vieux rêve stupide. Je ne sais pas si l'un ou l'autre a raison, mais nous avons tous quelque chose à nous reprocher lorsque nous pensons à la disparition de Leïla. Sauf ma petite sœur…

— Hum, je ne sais pas, Sophie. On verra bien.

Je ne sais pas quoi dire de plus. Elle se lève du sofa où elle était installée avec moi et s'en va dans sa chambre. Au même instant, on sonne à la porte.

— Peux-tu aller ouvrir, Luc? me crie ma mère de son bureau.

— Oui, je m'en occupe.

Je me lève avec peine. Tout est plus dur ces derniers temps. J'ouvre la porte et Ariane apparaît. Depuis la fugue de Leïla, elle vient à la maison presque tous les jours pour nous prêter main-forte.

— Salut, Ariane, ça va comment aujourd'hui?

— Bof... J'ai fini d'installer les nouvelles affiches. J'en ai mis à l'école aussi, avec la permission de monsieur Lamotte.

— Merci, c'est vraiment génial ce que tu fais pour nous aider.

— C'est vraiment pas grand-chose.

Elle dépose le reste des affiches sur la table basse du salon. Depuis le début, Ariane s'implique beaucoup et c'est normal. Après tout, Leïla est sa meilleure amie. Mais, je ne sais pas pourquoi, j'ai la vague impression qu'elle nous cache quelque chose.

— Ariane, t'es sûre que Leïla n'est pas entrée en contact avec toi?

Ça doit faire des dizaines de fois que je lui pose la même question, mais je tente encore ma chance.

— Si elle l'a fait, tu sais à quel point ce serait important que tu nous le dises.

Elle s'immobilise et me fixe de ses yeux inquiets. Soudain, je n'ai plus aucun doute. Elle sait quelque chose.

— Allez, dis-moi, Ariane. Personne ne t'en voudra de ne pas nous l'avoir fait savoir plus tôt.

— Je… Oui… Euh… J'ai parlé avec elle le mois dernier.

Mon cœur rate un battement. J'ai peur et je suis partagé entre des émotions de soulagement, parce que ça veut dire que Leïla est peut-être encore vivante, mais aussi de colère parce qu'Ariane a cru bon de se taire. Je prends une grande inspiration.

— Qu'est-ce qu'elle t'a dit exactement ? Où est-elle ?

C'est plus fort que moi, mais ma voix se fait dure.

— Elle… elle est à Montréal, bredouille-t-elle, la mine basse. Chez un ami. Il s'appelle Jonathan.

— Pourquoi est-ce que tu n'as rien dit avant ?

— Leïla m'avait fait promettre de garder le secret…

Elle se met à pleurer. Je m'approche d'elle et pose une main sur son épaule, mais elle se dégage violemment.

— Si jamais il est arrivé quelque chose à Leïla, ça sera de ma faute !

— Écoute… C'est vrai, tu aurais dû nous donner cette information plus tôt… Mais ça ne sert à rien de se faire des reproches, d'accord ? On ferait mieux d'appeler tout de suite l'inspecteur Langevin pour que tu lui racontes ce que tu sais. Ça va aller…

Tandis que nous nous dirigeons en toute hâte vers le bureau de ma mère, j'espère du fond du cœur que ce que j'ai dit à Ariane est vrai et qu'effectivement, tout ira bien. En un mois, tant de choses peuvent se produire…

14

Depuis ma tentative de révolte, l'atmosphère est très tendue entre Jonathan et moi. Il continue de me forcer à me prostituer et si ce que j'ai à lui dire n'est pas en lien direct avec le « travail », il m'ignore systématiquement. Les nuits, lorsque je rentre à la maison et que je tente de me faufiler dans son lit pour avoir un peu d'affection de sa part, il me repousse brutalement et m'oblige à retourner dans ma chambre. Il me dit qu'il en a marre de m'avoir dans les jambes. En fait, il veut que je m'installe chez Iza. C'est là que se tiennent à peu près toutes « ses filles ». Des filles qui font la même chose que moi, m'a-t-il expliqué en précisant que j'étais et serais toujours sa préférée. Mais je ne sais pas si je dois le croire. Il agit comme si je n'étais plus rien pour lui. Notre relation se résume à moi lui refilant de l'argent et lui, un peu de drogue pour me donner une raison de continuer à vendre mon corps. J'ai pleuré pendant des jours notre amour qui s'effritait, et par ma faute. C'est pourtant simple : je n'ai qu'à faire ce qu'il me demande et tout ira bien !

Malgré tout, quelque temps après que j'ai commencé à danser, Jonathan m'a demandé de *dealer* de la drogue dans les clubs où je travaille. J'étais contente de pouvoir lui prouver que j'étais digne de confiance et que je pouvais être utile pour le gang.

Les filles dans les clubs en veulent toutes un peu, certaines beaucoup. Ça allait bien jusqu'à ce que je me mette à consommer plus de stock que j'en vendais. Au début, ça ne paraissait pas trop. Quand je rapportais beaucoup d'argent, Jonathan était heureux et il redevenait le gars doux des débuts. Mais quand j'essayais de lui faire croire que la soirée avait été mauvaise, que certains clients n'avaient pas payé assez, il m'insultait et me criait dessus. Donc, si je consomme trop, je m'arrange pour faire plus de clients, question qu'il ne remarque pas qu'il manque de l'argent.

Pour mettre nos disputes derrière nous, Jonathan et moi avons décidé d'organiser une fête ce soir et l'appartement est bondé. Tout le monde est là. Iza, Shorty, Zenzo, Big Paul… Plus une bonne vingtaine d'autres personnes que je croise de temps à autre.

Je me fraie un chemin parmi les invités pour aller chercher une bière dans le frigo. Au passage, tout le monde me salue et me demande comment je vais. Je me sens bien. Enfin. Depuis que je me suis donné le nom de Butterfly, tout le monde m'appelle comme ça. J'aime bien et ça fait en sorte que j'ai davantage l'impression de faire partie du groupe.

Je retourne m'installer près de Jonathan et il prend la bière que je lui tends. Je place son bras libre par-dessus mes épaules. Ça semble l'agacer et il retire son bras en soupirant. Ce rejet public me blesse profondément. Il se retourne à sa gauche et continue de discuter avec un gars.

– J'te dis, mon gars, tu fais trop de conneries. Laisse pas ça venir aux oreilles de Dan! C'est clair qu'elle te vole, ta fille. Elle a toujours l'air gelé comme une balle! *Damn* Young Gun, tu veux te faire piquer[5]?

– Écoute, t'en fais pas avec ça là, la situation va être sous contrôle bientôt, dit-il en me regardant du coin de l'œil.

Il me regarde du coin de l'œil. C'est clair, la situation à contrôler, c'est moi. Je suis en train de le mettre dans le pétrin. Qu'est-ce que je peux être tache!

Au lieu de penser à ça, je préfère me concentrer à chasser – du moins, pour un instant – les soucis de Jonathan. Il en a tellement sur les épaules! Je prends donc la bouteille de fort sur la table du salon et, même si je me suis fait deux ou trois lignes plus tôt, je la porte à ma bouche et j'en prends une bonne rasade. Ensuite, je me lève et me place devant Jonathan, jambes écartées. Je me penche pour lui murmurer quelque chose à l'oreille. Je sais très bien que le fait que ma jupe soit si courte fait en sorte que tout le monde peut voir mes fesses. Mais je n'en ai rien à foutre qu'ils regardent.

– Viens dans la chambre. J'ai envie qu'on s'amuse un peu.

---

5. Signifie «poignarder» dans le jargon des gangs de rue.

J'ai peut-être chuchoté, mais j'ai fait en sorte que les gars assis à côté de lui sachent très bien ce que je lui ai dit. Apparemment, ils ont compris, car ils réagissent comme des petits gars jaloux qui voient leur meilleur ami avec la plus belle fille de l'école. Il prend la main que je lui tends et on se dirige vers la chambre. Ce faisant, je roule exagérément les hanches. Lorsque nous sommes dans la chambre, je me mets face à lui et il me pousse sur le lit. Il place mes bras de part et d'autre de ma tête et les retient fermement en me regardant dans les yeux.

— Ne bouge pas.

J'obéis. Il ouvre le tiroir de la petite table de nuit. Il en sort un bandeau de velours noir et me demande de le placer sur mes yeux. Je m'exécute sans dire un mot.

— Reste là. J'ai une surprise pour toi.

Tout est noir. C'est bizarre de ne pas savoir à quoi s'attendre. Mais je suis prête à tout pour que l'homme que j'aime revienne à une meilleure opinion de moi. Comme au début. J'ai envie d'une nouvelle vie avec lui et je veux qu'elle soit parfaite. Au diable celle que j'avais avant et tous ceux qui en faisaient partie. Celle-ci est celle qu'il me faut. Ma nouvelle famille est celle vers laquelle je dois me tourner.

J'entends ses pas dans la pièce. Jonathan commence à me déshabiller. Je reconnaîtrais son odeur entre mille. Quand je suis complètement nue, il me caresse et mon corps se raidit, même si ses mains sont douces. Baiser est devenu un automatisme sans aucune magie. Mais lui, il ne s'en rend pas compte. Si, malgré tout, je m'abandonne à ses mains qui parcourent mon corps, c'est que pendant ces quelques secondes, j'ai le sentiment que j'existe vraiment pour lui.

Il prend une pause. Quand il s'y remet, on dirait que quelque chose a changé. Ses mains se font de plus en plus pressantes, plus pesantes. Elles sont rêches. Ce n'est pas lui.

— Jonathan ?

— Je suis là, princesse.

Je l'entends, mais ce n'est pas lui qui est sur moi. On dirait que sa voix vient du fond de la pièce, près de la fenêtre. Qu'est-ce qui se passe ? Je l'entends rigoler.

— Laisse-toi faire, Leïla, ça sera vite passé.

C'était la voix d'Iza. Paniquée, je réussis à enlever tant bien que mal mon bandeau alors qu'on tentait de me retenir pour m'empêcher de le faire. Ce n'est pas Jonathan, mais Shorty qui est sur moi et qui me mord dans le cou, me malaxe les seins comme un fou pendant que son autre main est fermement agrippée à mes cheveux. Ça fait mal.

— Jonathan, qu'est-ce qui se passe ?

Il ne répond pas, mais je vois la pièce qui se remplit. Zenzo, Big Paul et d'autres entrent. On dirait qu'ils font la file. Ils se frottent les mains l'une contre l'autre comme si un festin fabuleux les attendait.

Pendant que Shorty détache la boucle de sa ceinture avec empressement et qu'il me pénètre sans me donner le temps de respirer, un autre plonge son membre dans ma bouche pendant qu'un autre encore joue rudement avec mes seins et les tord dans tous les sens. Je ne suis pas certaine, mais je pense que Jonathan a une main dans son pantalon. Je sens une larme couler sur ma joue.

— Vois ça comme ton initiation, dit Jonathan. Bienvenue dans le gang, princesse !

Un rire sonore s'élève dans la pièce. Je ferme les yeux. C'est à ce moment-là, précisément, que pour moi, Jonathan devient Young Gun. Le Jonathan que je connaissais ne m'aurait jamais fait ça.

Si seulement je pouvais être ailleurs…

Je… Je suis dans… La musique… Mes fans… Mon band *joue… Chante…*

Merde. Je suis trop *stone* pour rêver.

15

Février. Quatre mois viennent de s'écouler. Je n'ai pas vu le temps passer. Tellement, qu'on dirait que je suis entrée dans une autre dimension. C'est comme si j'évoluais dans la vie d'une autre personne. Dans le fond, je suis en train de m'observer. Oui, ça doit être ça. Je regarde Butterfly vivre avec mon corps et en faire ce qu'elle veut. Leïla n'est plus que la spectatrice impuissante qui voit sa place dans cette vie disparaître de jour en jour. Elle s'en plaint, mais pas aussi férocement qu'elle le devrait. C'est que Butterfly est tellement… convaincante! Violente aussi. Elle trouve toujours les bons arguments pour faire comprendre à Leïla qu'ici, c'est mieux que tout ce qu'elle pourrait espérer. Et si jamais elle essaie de se défendre, Butterfly l'engourdit. Et hop! Le *fix* règle tout. Leïla se ravise, capitule. Par contre, le mal, lui, est toujours là. En sourdine. Et elle peut entendre tout son for intérieur se détruire, tout ce qu'elle a de meilleur prendre le bord. Mais, non. Silence! Elle ne dit rien. Faudrait pas attiser les foudres de Butterfly qui a raison sur à peu près tout…

Je secoue la tête en me rendant compte que je parle de moi, comme si je n'étais pas *moi*. Je la secoue encore plus en me rendant compte que je parle comme si j'étais Leïla, puis Butterfly. Comme si j'étais deux personnes distinctes. Je fronce les sourcils en regardant mes mains, tremblantes et sales. Je les fourre dans mes poches et relève la tête. *Shit*. Je deviens vraiment *fuckée*. C'est inquiétant, que je me dis. Mais la pensée qui me vient ensuite, c'est que ma dose réglera tout, une fois que je serai de retour à l'appartement. Je soupire, réconfortée par cette seule idée.

Je suis dans le parc avec Iza et Belle. Nous scrutons les alentours à la recherche de nouvelles proies. Je me sens un peu comme Young Gun, lorsqu'il est venu à ma rencontre dans le parc, ce matin d'octobre là. Il savait exactement ce qu'il faisait quand son chien est venu vers moi. Il savait aussi ce qu'il faisait lorsqu'il m'a demandé de venir déjeuner avec lui. J'étais sa proie. Mais je ne le savais pas. Quoi qu'il en soit, au moins, maintenant, je suis entourée d'amis qui m'aiment et qui considèrent ce que je fais pour eux, même si parfois, ils me font des choses que je n'aime pas. Par exemple, ça arrive de plus en plus souvent qu'on me traite comme une pute. C'est de ma faute. Au départ, je n'aurais jamais dû me mettre à danser pour les gars. Des fois, ils se rassemblent et, comme dans un cauchemar qui se répète sans cesse, ils me font des choses impossibles. Quand je refuse leurs avances, ils se fâchent et me frappent de toutes leurs forces. Après, ils font de moi ce qu'ils veulent. Mais quand je suis vraiment méchante et que je les frappe à mon tour, ils se mettent à plusieurs pour me tenir pendant que d'autres abusent de moi. Une fois, ils ont même pris les cigarettes et les cigares qu'ils avaient à la bouche et se sont mis à me brûler là où il ne faut pas, malgré mes supplications. Évidemment, ils ne m'ont pas écoutée. Je n'ai pas été en mesure d'aller aux toilettes normalement pendant des semaines. Mais on est une famille.

Pour notre famille, on fait tout ce qu'on peut et, surtout, on ne trahit personne. *Right*? Je n'ai qu'à parler aux autres filles pour me rendre compte qu'elles aussi, il leur arrive des *bad lucks* dans le genre des miennes quand elles n'agissent pas comme elles le devraient. Au moins, je sais que je ne suis pas la seule à vivre des situations du genre.

Peu importe. Je ne suis pas là pour penser à tout ça. Aujourd'hui, j'aide mes amies à trouver une nouvelle fille. On se promène souvent près des écoles secondaires lorsque la cloche sonne et on tente de repérer celles qui seraient susceptibles de venir «travailler» avec nous. On les reconnaît à un kilomètre à la ronde parce qu'elles tentent, dans la plupart des cas, de se faire remarquer. Elles jouent les dures ou encore, elles ont de graves problèmes à la maison et à l'école. Sinon, y a celles pour qui, de toute évidence, ça ne va pas. On est là pour les réconforter. Ces derniers temps, c'est de moins en moins facile. Je pense qu'on s'est fait remarquer parce qu'il y a de plus en plus de surveillance tout autour des écoles secondaires à la fin des classes. Ils essaient de garder leurs jeunes innocentes loin des rapaces comme nous. Mais tout ce qu'on leur offre, c'est ce que toutes les filles de leur âge veulent: être acceptées, appréciées et posséder tout ce dont elles ne font que rêver.

— Je pense pas qu'on va trouver personne aujourd'hui, les filles, dis-je à l'intention de mes deux amies qui continuent de garder un œil ouvert, juste au cas où.

— Non, attends, je pense qu'on a d'la chance. Il y en a une là-bas, dit Belle en la pointant du menton.

Je me retourne dans la direction indiquée par mon amie et remarque une jolie brunette. Elle pleure, elle n'a pas l'air bien.

Une chicane avec papa et maman ? Un copain qui la trompe ?
Je sais ce que c'est.

— Tu devrais aller la voir, Butterfly, elle a ton âge. Elle va te
faire plus facilement confiance, dit Iza.

— OK, j'y vais.

Je m'avance vers elle à pas de velours. Elle me voit arriver
du coin de l'œil et se demande si je vais lui adresser la parole.

— Salut, dis-je doucement.

Elle me regarde, mais ne répond pas, méfiante. Je tente une
autre approche.

— J'ai vu que tu pleurais. Est-ce que ça va ?

— Qu'est-ce que t'en penses ? Tu vois quelqu'un pleurer et
tu doutes un instant qu'il y a quelque chose qui ne va pas, toi ?

Même si j'ai envie de lui arracher la tête, je réponds
gentiment :

— Excuse-moi, t'as raison.

Aussitôt, elle se détend, descend les épaules. Ses gardes
sont baissées, mais peut-être pas pour longtemps. Je m'assois
près d'elle.

— Alors, qu'est-ce qui va pas ?

Son corps se raidit de nouveau, elle se remet sur ses gardes.

– T'en fais pas, j'suis pas de la police, j'veux juste t'aider un peu.

– Tant mieux, parce que je suis partie de chez moi! lance-t-elle sur un ton plein d'arrogance.

– Pourquoi?

Elle pousse un long soupir et je sens qu'elle est réticente à vider son sac.

– Bof, ça va pas à la maison.

Je vois une ecchymose violacée sur sa cuisse. Elle ajuste sa jupe, question de cacher sa blessure.

– Qui t'a fait ça? Ton p'tit ami?

Elle secoue la tête vigoureusement.

– Ton père?

Elle éclate en sanglots. Je pose une main sur son épaule, compatissante. C'est terrible ce qu'elle a expérimenté bien malgré elle. Des pleurs aussi intenses ne mentent pas. Je ne peux pas m'empêcher de faire des comparaisons avec ce que moi j'ai vécu et les raisons qui m'ont poussée à partir de chez moi. Oui, c'est vrai, Patrick n'aurait jamais dû me tromper. Il n'avait tout simplement pas le droit, pas après tout ce que nous avions vécu ensemble. Mais mes parents, ma famille, mes amis? De quoi avais-je à me plaindre, exactement? C'est sûr qu'ils n'étaient pas parfaits, mais personne ne l'est. Après tout, ils m'aimaient et c'est le plus important... non? J'avais un toit

sur ma tête, de la nourriture, presque tout ce que je voulais…
Oui, de quoi est-ce que je me plaignais, en fait?

— Est-ce que tu sais où tu vas aller ce soir? je lui demande,
malgré la réflexion que je viens de me faire.

— Non, dit-elle en essuyant ses larmes du revers de la main.

— Tu sais, j'ai vécu quelque chose dans le genre une fois. Je
suis aussi partie de chez moi parce que ça ne fonctionnait pas
avec mes parents.

— Ah oui?

— Oui et j'ai passé une nuit dans un parc. C'est pas génial.
Tu peux venir rester chez moi un bout de temps si tu veux, j'ai
un grand appartement et là-bas, tu seras bien, en sécurité. Tu
pourras faire c'que tu veux! Ton père te touchera plus jamais.

— Pour vrai?

— Vrai comme je suis devant toi…

— T'es pas un peu jeune pour avoir ton appart? T'as quoi,
genre douze ans? fait-elle sur un ton moqueur.

— Quinze. Et toi?

— Quatorze…

— C'est l'appart de mon copain; je vis avec lui.

– Ça va pas le déranger que j'habite avec vous pour quelque temps ?

– Ben non !

– OK ! me dit-elle sans hésiter une seconde de plus.

– Comment tu t'appelles, au fait ?

– Andréanne !

– Enchantée, Andréanne, moi c'est Butterfly. Tu vas voir, je vais bien prendre soin de toi.

Je pose une couverture sur Andréanne qui s'est endormie sur le sofa. Elle doit être fatiguée. Elle en a vécu beaucoup, en peu d'heures. En tout cas, je sais que pour moi, c'était comme ça.

Il est tard et Young Gun n'est pas encore rentré. J'en profite pour aller compter l'argent de mes ventes. Je m'étonne d'ailleurs qu'il ne me l'ait pas demandé. Mais c'est vrai qu'il est très occupé, ces derniers temps. Ça a dû lui sortir de la tête. Tant mieux, dans le fond, car j'en ai utilisé. La nuit passée, j'ai fait une super vente, alors… Je sais que je n'aurais pas dû, mais c'était tellement d'argent que je me suis dit que si j'en profitais un peu, ça ne paraîtrait pas… Les choses ont dérapé. J'ai payé la traite à tout le monde, sans compter, comme si j'étais une richarde. Je me suis vraiment éclatée ! Young Gun n'était pas là, donc je me suis laissée aller. Ce matin, je me suis rendu compte de mon énorme bêtise. Le cœur battant rapidement, j'ai constaté que je m'étais créé une autre dette. J'avais cet argent entre les mains depuis à peine quelques minutes et, même s'il ne m'appartenait pas, j'avais pigé dedans comme si c'était un puits sans fond. Mais j'ai l'intention de rembourser chaque sou dépensé ! Je le jure ! Une sueur froide perle sur mon front, juste à l'idée de devoir faire plus de clients que d'habitude. C'est mon seul moyen d'y arriver.

Je m'installe à la table et fais beaucoup trop rapidement le décompte de l'argent qui est devant moi. Non ! C'est impossible ! Il en manque beaucoup trop ! Je me prends la tête à deux mains et repasse en mémoire cette fameuse soirée. Combien ai-je flambé ? Deux cents ? Trois cents dollars ? Plus ? Et il valait combien le stock que m'a donné Young Gun ?

— C'est qui, elle ?

Je sursaute. Young Gun est arrivé et je ne m'en suis pas rendu compte. Voyant qu'il pose son regard sur l'argent, je m'empresse de le remettre dans sa pochette.

— C'est une fille qu'on a trouvée au parc cet après-midi. J'pense bien qu'elle pourra faire l'affaire.

— Cool.

Soulagée qu'il ne me pose pas de question sur l'argent qui se trouve sur la table, je me lève et me dirige vers la chambre, où je prétends me rendre pour aller me préparer pour la soirée qui s'annonce. Il m'arrête en me demandant où est l'argent de mes dernières ventes. Évidemment. Exactement ce que j'essayais d'éviter.

– Euh, il est… je l'ai planqué en lieu sûr… je… je vais te l'apporter, ce soir… en revenant.

Il voit bien que quelque chose ne va pas, que je me perds dans mes mensonges. Il s'approche de moi d'un pas décidé et m'arrache la petite pochette des mains.

– Il y a combien là-dedans ?

Il jette le contenu au sol et en fait rapidement le compte pendant que je prie pour qu'il me croie.

– Six cent quinze piasses ? C'est une blague ou quoi ? C'que j't'ai donné en valait mille !

– Je… c'est… c'est mon argent de poche.

Il me pousse contre le mur et m'y plaque de son avant-bras. Je ne peux plus bouger.

– Ton argent de poche ? Depuis quand est-ce que t'as autant d'argent ? Tu penses que je suis stupide, Butterfly ? Tu penses que je sais pas que t'as utilisé le fric pour jouer les inté-ressantes dans un party minable ? Vanessa m'a parlé de ta p'tite soirée d'hier !

Il me prend ensuite par le bras et me traîne jusqu'à la chambre, où il me propulse au sol après avoir fermé la porte derrière lui. Il est dans une colère sans nom. Pendant ce temps, je maudis intérieurement Vanessa de m'avoir dénoncée comme un vulgaire rat. Elle va me le payer !

— Tu veux t'amuser à payer de l'alcool pis d'la sniff à tout le monde sans que je m'en rende compte ? T'en veux plus, hein, c'est ça ? J'vais t'en donner pour ton argent, pauvre junkie !

Il avance alors vers moi, prend mon menton entre ses mains et presse ma mâchoire de façon à ce qu'elle s'entrouvre. Il la comprime tellement fort que j'ai l'impression que mes molaires vont sauter. Elles sont tellement fragiles ! Il sort un petit sac de pilules de sa poche et en vide tout le contenu dans ma bouche. Malgré la situation dramatique, je suis presque contente d'en avoir jusqu'à ce que les petites pilules se coincent au fond de ma gorge. Je me mets à tousser pour éviter de mourir étouffée.

Il revient à la charge et, cette fois, fait couler le reste d'une bouteille de vodka sur ma tête, puis essaie de m'en faire boire quelques gorgées malgré mes efforts pour me défaire de sa poigne. Lorsque j'y parviens finalement, je recule tant bien que mal vers un coin de la chambre. Mes yeux me brûlent et je suis incapable de les ouvrir. Après avoir fait battre mes paupières une bonne centaine de fois, j'arrive finalement à y voir clair. Young Gun m'attrape fermement par les cheveux pour me tirer jusqu'au bord du lit. Pendant que je crie comme une forcenée, il me soulève presque à bout de bras et me jette sur le lit où je rebondis durement. Quand je comprends ce qui m'attend ensuite, je suis horrifiée. Young Gun tient un bâton de baseball entre ses mains. Il a toujours gardé ce bâton derrière la porte de sa chambre en cas de besoin. Je me disais que c'était ridicule comme idée, mais aujourd'hui, je vois que je serai la victime de ce que je croyais si risible. Ironique.

— Young Gun, niaise pas, j'm'excuse, j'voulais pas ! S'il te plaît… non… arrête… tu me fais mal ! Arrête, arrête ! J'le ferai plus, j'te jure ! Non ! Je…

Il me force à me placer sur le ventre. Je ne peux plus parler parce qu'il maintient ma tête fermement appuyée contre l'oreiller pour m'empêcher de crier. Il ne veut sûrement pas alerter Andréanne. Mais elle doit être réveillée après tous les cris de mort que j'ai poussés…

C'est là que j'ai compris ce que les gens voulaient dire lorsqu'ils sont à deux doigts de la mort et qu'ils voient leur vie défiler devant leurs yeux. J'ai toujours pensé que, pour ma part, je verrais ma famille. Mon père, ma mère, mon frère et ma sœur. Mais ce que je vois, ce sont des rêves brisés. Puis je vois Ariane, qui a toujours été là pour moi. Dire que j'ai été si méchante avec elle ! Dans le fond, je mérite bien ce qui m'arrive. C'est une punition pour avoir craché sur ce que j'avais et ne pas l'avoir apprécié à sa juste valeur.

Je ne suis pas certaine de savoir comment l'expliquer, mais tout à coup, j'ai une rage de vivre. Pas comme dans les films où une force herculéenne nous soulève tout entier pour soudainement nous débarrasser de ce qui menace notre vie. Non. Je ne suis plus la jeune fille de quinze ans fringante et forte que j'étais auparavant. Je suis faible. Je ne dors pas beaucoup, je mange encore moins. Peu importe le reste, je voudrais juste avoir assez de force pour appeler ma famille et Ariane pour m'excuser. Si je dois vivre, je veux vivre juste pour ça. Je cache alors Leïla dans un coin sombre de ma tête en espérant qu'elle ne me filera pas entre les doigts.

Le premier coup, je le reçois aux cuisses. L'autre, derrière la tête, et je sais tout de suite que Young Gun en a mesuré la puissance. Il veut probablement s'assurer qu'il ne se retrouvera pas avec un cadavre sur les bras. Les autres sont tout aussi forts que le premier et il les distribue de manière égale sur le reste de mon corps. Je ne bouge plus. S'il croit que je suis morte, il s'arrêtera peut-être. Pour m'accrocher à quelque chose, je compte les coups. J'en suis à onze. Il s'arrête. J'entends sa respiration, haletante, qu'il tente de recouvrer. Il se penche à la hauteur de mes yeux. Il veut s'assurer que je suis encore là. Pas morte, pas dans les vapes. Quand il voit mon regard de braise défier le sien, il quitte la pièce et en claquant la porte derrière lui. Oui, je suis encore bien vivante, pourriture.

Je ne sais pas combien de temps s'est écoulé, mais quand j'ouvre les yeux, c'est la nuit. Seule la lune éclaire la scène du crime.

J'essaie de me lever. C'est difficile. Lorsque je pose les pieds au sol et que je tente de me tenir debout, mes jambes flanchent sous mon poids et je m'effondre. Tandis que je tente de me lever de nouveau, la porte s'ouvre et mon cœur se remet à battre à une vitesse folle. J'ai peur que Jonathan ait décidé de venir m'achever. Je relève prudemment la tête. C'est Iza.

— Merde, qu'est-ce que t'as fait pour le mettre autant en rogne, Butterfly ?

C'est une blague ? Oui, sûrement ! Elle doit être en train de jouer à l'imbécile comme elle le fait de temps à autre ! Mais son visage est sérieux. Plus sérieux que je ne l'ai jamais vu, d'ailleurs. Qu'est-ce que j'ai fait ? Rien qui mérite un tel sort. Elle ne m'aide même pas à me lever.

Je demande faiblement :

— Où est-il ?

— Il est sorti avec Andréanne. Habille-toi. Il insiste pour que tu travailles ce soir. Tu lui dois une tonne de fric.

Je voudrais lui dire que ce serait de la folie d'aller où que ce soit dans cet état, mais je n'en fais rien.

Après avoir pris une douche, je me suis préparée sommairement. Mon corps entier me fait mal. Je n'ai pas été en mesure de me maquiller comme il se doit. Je ne me suis probablement pas habillée comme il se doit, non plus. Mais de toute façon, ça n'a pas vraiment d'importance quand ce que j'ai à faire implique de retirer mes vêtements. Un quart de bouteille de tequila plus tard, je suis prête à partir.

Ce soir, Iza me conduit. L'atmosphère dans la voiture est lourde, palpable.

— J'ai mal partout, Iza.

— T'as choisi cette vie, Butterfly, alors arrête de te plaindre et fais c'que t'as à faire, c'est tout. Comme ça, tout le monde sera content.

Je proteste d'une voix faible.

– J'ai pas choisi de me faire traiter comme ça !

– Qu'est-ce qui te retient, alors ? T'aurais pu partir cent fois !

Elle se met tout à coup à hurler, comme horripilée par le fait que je ne sache pas quoi lui répondre.

– Cent fois, t'aurais pu partir ! Mais tu l'as pas fait ! Tu veux savoir pourquoi ? Parce que t'es trop bien dans c'te vie-là ! T'es trop bien ! C'est facile, pas vrai ! Pas de papa, pas de maman, pas d'école, rien ! Le beau rêve ! Tu fais c'que tu veux, tu te sens aimée, tu fais partie du groupe pis, en plus, t'es en amour ! T'as de l'argent comme tu veux, de la drogue plus que t'es capable d'en sniffer. *That's the VIP life !* Et là, maintenant, tu viens brailler parce que tu t'es fait casser la gueule pour avoir joué à l'imbécile ? Ben, j'veux plus t'entendre ! T'as choisi, ma fille ! T'as choisi, finit-elle, haletante, en portant une cigarette à sa bouche.

Je n'ai jamais perçu autant d'amertume dans la voix d'Iza. Je me tais, ne sachant pas trop quoi ajouter. Pourtant, il n'y a pas si longtemps, je disais que mon autre vie me faisait chier. Mais en ce moment, c'est tout le contraire. Elle me manque. Alors pourquoi je reste ici, dans cette situation ? Pourquoi, *crisse* ? Parce que c'est la vie que j'ai choisie. Iza a raison sur toute la ligne.

En arrivant au motel, je vais tout de suite m'asseoir pour tenter de penser à autre chose qu'à la douleur qui m'habite tout entière. Puis j'entends un petit rire chantant dans le fond de la pièce. Vanessa. La traîtresse. Je me dirige vers elle en boitant, comme si j'avais une jambe de bois. Je suis loin d'être la créature la plus sensuelle du monde en ce moment. Alors qu'elle est en train de discuter avec un groupe de filles, elles se mettent à me regarder comme si j'étais un monstre. Elles ont raison de le penser, car seul un monstre pourrait lui faire ce que je m'apprête à lui faire subir. Je pense que les autres comprennent que c'est à elle que je veux m'adresser, car elles s'éloignent et laissent la pauvre fille à son sort.

— Ayoye! Qu'est-ce qui t'est arrivé, Butterfly? me dit-elle, horrifiée.

Pas le temps ni l'envie d'expliquer. On passe directement aux choses sérieuses. Je l'entraîne dans le petit couloir qui mène vers la sortie de secours et la pousse maladroitement contre le mur. Elle rit presque de moi. On dirait que je l'ai poussée sans le faire exprès.

— Pourquoi t'es allée bavasser à Young Gun pour l'autre soir?

Tout d'un coup, je la sens devenir nerveuse. On rit moins là, hein? Encore une fois, les rôles sont inversés. Je me sens comme Young Gun.

— Ben, écoute, c'était pas correct de ta part de faire ça, c'est tout. Y a des affaires qui sont claires, me semble.

— Ben oui, c'est ça! T'es la première à en avoir profité!

— T'énerve pas, Butterfly! C'est pas ma faute si tu sais pas gérer tes affaires!

Encore une fois, mauvaise réponse. J'aurais préféré des excuses, un peu de compréhension. Même si nous vivons à peu près les mêmes choses, cette fille et moi, elle ne se mouillera jamais pour prendre ma défense. Elle préfère me balancer. Comme si on était en compétition. Finalement, toutes ces foutues règles, genre un pour tous et tous pour un, c'est bien beau en théorie, mais dans la pratique, c'est autre chose. Tandis qu'elle se retourne pour partir vers les cabines, je lui fais un croc-en-jambe et, dans un cri, sa tête va durement heurter le mur. Elle gémit de douleur. Je me penche vers elle et lui caresse doucement la tête. Désolée, Vanessa, mais je n'avais pas le choix. Après quoi, je m'empare de ce qui dépasse de son décolleté. Deux petites enveloppes de poudre blanche. Et j'en profite pour faire ses poches. Tant qu'à y être. Je trouve de l'argent et des condoms. Ça fait mon affaire pour le moment.

Je vais poser mes fesses dans un coin avec mon butin. Je prépare avec frénésie trois lignes de coke. J'en sniffe une, puis je rejette la tête en arrière, au comble du bonheur. Elle a toujours le même effet sur moi. Elle au moins, elle ne me déçoit pas.

— Vanessa, ton client t'attend! crie la tenancière du motel avec son fort accent asiatique.

— Vanessa se sent pas bien, j'vais prendre sa place. Tu sais comment c'est, on prend soin de nous, entre filles, dis-je avant d'aspirer les deux autres lignes que je m'étais préparées.

16

Ce qui est en train de se produire ne devrait jamais arriver dans la *vraie* vie. Pourtant, je suis là, dans cette situation, jusqu'aux yeux. D'ailleurs, je voudrais qu'ils se ferment. Qu'ils se ferment afin de faire abstraction de la réalité qui essaie de trouver une place dans mon cerveau. Mais ils restent obstinément ouverts, paralysés.

– Non, Jonathan ! Non ! On ne peut pas faire ça ! je hurle pendant que des larmes folles font la course sur mes joues et que j'ai un hoquet incontrôlable.

– Ta gueule ! Tu penses qu'on a un autre choix ?

– On doit l'amener à l'hôpital !

– L'hôpital ? gronde-t-il. T'es stupide ou quoi ? Elle est morte ! Il faut qu'on se débarrasse du corps !

Dans un état second, je vois Jonathan prendre le corps d'Andréanne et l'enrouler dans une couverture comme s'il s'agissait d'un vulgaire déchet. Il n'a pas couvert son visage et la couverture blanche forme une auréole tout autour. Elle ressemble à un ange. Non seulement elle ressemble à un ange, mais maintenant, elle en est un. Il saisit ensuite son téléphone et appelle Shorty en lui disant qu'il doit l'aider à se débarrasser d'un paquet encombrant. Je n'en crois pas mes oreilles. Je n'arrive pas à admettre ce qui s'est produit. Andréanne est morte. Morte. Andréanne. Ma protégée. Je l'ai laissée se faire du mal et je n'aurais pas dû. J'aurais dû être là pour elle! Qu'est-ce que j'ai fait?

Il y a un mois, j'ai trouvé Andréanne dans un parc et je l'ai ramenée chez Young Gun. Au début, ce n'était qu'une fille de plus, mais avec le temps, j'ai appris à la connaître. À l'aimer. Et je l'ai prise sous mon aile. Avec elle, Young Gun n'a pas pris son temps comme avec moi. Elle était tellement… impressionnable! Il l'a rapidement initiée à la drogue, à l'alcool et, au bout de trois semaines environ, je travaillais avec elle dans les motels et je lui apprenais les ficelles du métier. Au départ, je pensais que tout allait bien et qu'elle aimait sa nouvelle vie. Je veux dire, comparé à ce qu'elle avait vécu avec son père, c'était mieux, non? Comment ai-je pu être assez stupide pour croire que tout allait bien? Quand moi-même, je ne me suis pas encore habituée à mon… nouveau statut? Maintenant, elle est morte.

Young Gun, d'autres filles et moi étions dans le minuscule salon de cette chambre d'hôtel infecte. Il nous dispatchait les clients au fur et à mesure qu'ils arrivaient. Pendant ce temps, Andréanne se tailladait les veines dans les toilettes. Nous nous sommes seulement rendu compte que quelque chose n'allait pas quand nous avons entendu un bruit sourd. Comme si un corps venait de s'écraser sur le carrelage. Deux longues lacérations verticales sur son avant-bras gauche. Un autre souvenir troublant qui ne quittera jamais ma mémoire.

J'aurais dû voir les choses venir! J'aurais dû! Elle me disait constamment qu'elle ne voulait plus, qu'elle ne pouvait plus faire ces choses. Et moi, je lui disais d'endormir la douleur avec la drogue. Mais lorsqu'on n'est plus sous l'effet, toutes ces choses affreuses qu'on fait nous reviennent en mémoire et nous torturent sans arrêt. Alors on consomme encore et encore pour oublier. C'est un cercle vicieux. Qui n'a jamais de fin. Je sais ce que c'est et j'ai attiré Andréanne dedans en toute connaissance de cause. Qu'est-ce que j'ai fait, bordel?!

Shorty et Big Paul entrent en trombe dans la chambre avec un grand sac de sport noir. Je les suis jusqu'aux toilettes et les regarde mettre le corps frêle d'Andréanne dedans. Son visage est livide. En même temps, serein. Elle… elle a trouvé *sa* solution. Pour s'en sortir. Mais non, Andréanne! Non! Ce n'était pas LA solution! Je suis sûre que tu aurais été plus forte que moi. Plus courageuse. Assez brave. Assez, pour t'enfuir. J'aurais dû lui dire. Mais c'est trop tard. Malgré tout, je me surprends à l'envier. Pour elle, c'est bien fini.

Je vois le trouble dans les yeux de Shorty et de Big Paul, eux qui ont plutôt l'habitude d'être rieurs. Tout comme moi, on dirait que c'est la première fois qu'ils voient un cadavre, mais Young Gun, lui, reste impénétrable. Les filles sont sorties et discutent à l'extérieur, comme pour faire abstraction de ce qui vient de se produire. Les trois gars se jettent un regard entendu. En silence, comme ils sont venus, Shorty et Big Paul se dirigent vers la porte.

— Qu'est-ce que vous allez faire d'elle?

— T'occupe pas, aboie Big Paul.

Ils sortent et Young Gun marche vers moi d'un air menaçant.

— J'imagine que t'as pas l'intention d'aller jacasser de ça à personne, hein ?

Ce qui vient de se passer ici doit rester dans la famille. Le message est clair. Motus et bouche cousue.

— Non. Je dirai rien.

Il m'examine longuement, pour s'assurer que je lui dis la vérité. Une fois qu'il a obtenu la confirmation qu'il cherchait, il retourne s'asseoir dans le salon et lance aux filles de rentrer pour ne pas se faire remarquer. Moi, je m'installe sur le lit et regarde le plafond crasseux, un profond sentiment de culpabilité dans l'âme.

17

Peu importe le sens dans lequel je me regarde dans le miroir de plain-pied de ma chambre, je me trouve affreuse. Monstrueuse. Je n'ai plus une once de gras sur le corps. Plus une seule courbe. Je suis un squelette sur deux pattes. En examinant mon visage de plus près, je remarque pour la première fois à quel point mes joues sont creuses et que des cernes noirs et profonds descendent jusque sous mon nez. Mes yeux sont injectés de sang. Des plaques rouges recouvrent mon visage. J'ai des ecchymoses partout. Bref, je fais peur à voir.

Depuis quelque temps, je fais de moins en moins d'argent avec la danse et encore moins avec les clients en chambre. Personne ne veut plus rien savoir de moi. En plus, ces derniers temps, il y a des liquides épouvantables qui s'écoulent de mon entrejambe. Ça me démange et ça me fait mal lorsque je vais faire pipi. J'ai tellement eu de relations non protégées ! Qui sait ce que je peux avoir attrapé. Leïla n'aurait jamais agi comme ça. Elle aurait pris le temps de se protéger. Si Leïla était encore maître de ce corps, elle m'aurait fait savoir à quel point je suis stupide et influençable et que, dans le fond, je mérite bien ce qui m'arrive. Mais je ne suis plus Leïla. Je suis une autre. Butterfly. Celle qui se soucie juste de sa prochaine ligne... et de son copain, qu'elle aime à mourir malgré elle...

Je soupire bruyamment. Il faudrait que j'aille à la clinique. C'est donc le premier endroit où je décide de me rendre aujourd'hui. Au CLSC du coin, je pourrai voir un médecin qui me donnera une prescription pour régler mes nombreux problèmes. Oui. C'est sûr, ils vont pouvoir me réparer.

Dans la salle d'attente, je me sens regardée. Tout le monde doit me trouver immonde. Je tente de faire fi des regards désapprobateurs et prends place auprès d'une femme et de sa petite fille. Elle est jolie, coiffée de nattes attachées par des rubans bleus. Je lui souris.

— Salut, dit-elle en me souriant aussi.

— Salut !

— Tu vas bien ? T'as l'air toute pâle.

— Oui, je sais. Je suis un peu fatiguée. Et toi, comment ça va ?

— Ça va ! C'est quoi, ton nom ? Moi, c'est Annabelle.

— Enchantée, Annabelle ! Moi c'est But... je veux dire...

Je n'ai pas le temps de finir ma phrase que sa mère l'attire vers une autre place en affirmant haut et fort que je sens mauvais comme c'est pas permis. Tous les regards sont fixés sur moi. Je me lève pour aller attendre dans le couloir, près de l'entrée.

C'est vrai que ça doit faire au moins une semaine que je me suis pas douchée. J'ai été trop occupée à… occupée à… je suis même pas capable de dire à quoi. Je perds lentement la tête. Si ma famille me voyait! Elle ne me reconnaîtrait sûrement plus.

Deux heures plus tard, on m'appelle enfin au bureau douze.

– Bonjour, mademoiselle… Desrochers! me dit d'une voix sympathique la femme assise derrière son bureau.

C'est une jolie médecin avec des cheveux châtains qui tombent en cascade sur ses épaules. Ses yeux bruns sont magnifiques. Je me souviens que je m'étais toujours dit que si les choses ne fonctionnaient pas pour la musique, je travaillerais dans le domaine de la santé, même si je ne l'ai jamais avoué à mes parents. Moi, je travaillerais ailleurs que dans un CLSC. Moi, je serais à l'hôpital et je serais celle que tout le monde s'arrache lorsqu'il y aurait une problématique avec laquelle ils ne sauraient pas exactement quoi faire. Je serais celle qui sauve la situation à coup sûr. En fait, je ferais comme papa… Pendant que j'ai cette discussion avec moi-même, la médecin me regarde intensément. On dirait qu'elle se creuse la tête pour savoir si elle m'a déjà vue quelque part.

– Alors, qu'est-ce que je peux faire pour toi? dit-elle en me souriant.

– Ben je… j'ai des liquides gênants qui viennent de mon… ben, de mon vagin… et… des démangeaisons.

– OK. Tu es active sexuellement si je ne me trompe pas? (Je hoche la tête.) Très bien, ajoute-t-elle. Utilises-tu le condom?

— Pas souvent…

— Combien de partenaires sexuels as-tu?

Je devrais lui dire que des fois ils sont vieux, que des fois ils sont jeunes et plusieurs à la fois et que, d'autres fois, on me force? Non, sa question, ce n'est pas vraiment ça. Je dois m'en tenir à ce qu'elle demande. De toute manière, que pourrait-elle faire pour moi?

— Plusieurs, dis-je simplement en baissant la tête, honteuse.

— Ne t'en fais pas, ma belle, ça va aller. Installe-toi sur la table d'examen, enlève ton pantalon et ta petite culotte. On va regarder ça.

Elle tire le rideau et je m'exécute. Pour une fois, j'enlève mes vêtements et ce sera juste pour un examen. Je préfère ça. Alors que je suis toujours derrière le rideau, elle me demande:

— Depuis combien de temps as-tu remarqué les sécrétions inhabituelles?

— Euh… Ça fait un bon bout…

Elle tire de nouveau le rideau et me demande de placer mes pieds dans les étriers. Ensuite, elle écarte doucement mes jambes.

— Pourquoi as-tu attendu aussi longtemps avant de voir un médecin?

FILLE À VENDRE

Je ne réponds pas, embarrassée. Elle doit me trouver complètement irresponsable. Si elle savait! Elle ne relève pas le fait que je n'ai pas répondu à sa question et continue son examen.

– Hum... OK, je vois. Je suis presque certaine que c'est la chlamydia ça, ma belle. Mais je vais prendre une culture pour être certaine, d'accord?

– Hum, hum...

– Très bien. Il va falloir que tu avertisses tous tes partenaires, pour qu'ils se fassent tester, eux aussi.

Ouais, sûr! Comme si je gardais un carnet détaillé dans lequel était inscrit le nom de tous mes clients! Alors que je pensais que l'examen était terminé, elle continue:

– On dirait... on dirait que tu as des brûlures sur tes grandes lèvres... Qu'est-ce que c'est, Leïla?

Je ne sais pas quoi lui répondre. Je ne veux surtout pas parler de cet épisode. Si je le fais, elle voudra sûrement appeler la police.

– Euh... rien. J'imagine que ça fait tellement longtemps que je suis malade que ça m'a laissé des cicatrices...

– Je vois, dit-elle d'un ton qui trahit ses doutes. Tu peux te rhabiller.

Alors que je m'exécute, je l'entends qui fouille dans un dossier.

— L'adresse à Mascouche, c'est la bonne ?

— Euh… Oui.

C'est mon ancienne adresse, celle de mes parents. Je ne voulais pas donner celle de Jonathan. Je reviens m'asseoir sur la chaise en face de son bureau.

— OK, on va t'appeler chez toi pour que tu reviennes prendre les résultats des tests. En attendant, je vais te laisser ma carte, au cas où tu aurais des questions.

— Attends… Je crois que je n'en ai plus, dit-elle en mettant son bureau sens dessus dessous. Je vais aller en chercher ! Ce ne sera pas long, je reviens.

Elle va appeler chez moi. Merde ! Je n'aurais pas dû laisser de numéro de téléphone. Je croyais que c'était une simple formalité quand on ouvrait un dossier. Je pensais que j'aurais mes résultats tout de suite et ma prescription. La peur s'empare de moi. Je me lève et m'approche de la porte à pas de loup. Quand je mets la main sur la poignée et la tourne, je m'arrête, car la médecin est de l'autre côté et chuchote avec une femme.

— … c'est la jeune fille en fugue. Tu sais, celle qui vient de Lanaudière ? Elle est plus maigre et tout, mais c'est elle.

— Ah oui ? En es-tu certaine ?

— Sûre et certaine ! Elle va avoir besoin de se rendre à l'hôpital pour un suivi plus serré.

— Dans ce cas, retiens-la, je vais appeler la police.

La police ! Non ! Tout, mais pas ça ! Je ne peux me faire prendre si bêtement. Jonathan me tuerait ! Quand la médecin ouvre finalement la porte et me voit si près, elle comprend que j'ai entendu sa conversation. Je n'ai donc pas d'autre choix que de la pousser. Elle va s'écraser contre le mur d'en face et je l'entends qui crie mon nom. « Leïla, reviens ! » Je cours aussi vite que je peux en bousculant quelques personnes sur mon passage. Je ne veux pas retourner chez moi. Pas dans cet état. Pas aussi maigre. Pas aussi laide. Pas aussi malade. J'ai trop honte de ce que je suis devenue…

J'ai couru sans m'arrêter. Je ne sais pas combien de temps. Je suis allée m'asseoir dans un parc pour reprendre mon souffle et je me suis battue avec moi-même pour ne pas prendre le prochain métro qui me ramènerait chez moi. Je me suis battue avec Leïla qui me disait de revenir sur le droit chemin, mais Butterfly a rugi qu'il était déjà bien trop tard. Il fallait s'y prendre plus tôt.

Le soir venu, je me prépare machinalement. À aller danser. À faire jouir un inconnu. À consommer. À boire. Mais on m'empêche de monter sur scène. Les clients disent carrément que je n'ai plus rien d'attirant, que je suis laide. Je me promène dans la salle, mais personne n'est intéressé, pas même le plus affreux des clients. Je sais que si je ne rapporte pas d'argent ce soir, Young Gun ne voudra plus me fournir de drogue et je ne peux pas me le permettre. Je ne survivrais pas. Mon cœur palpiterait. J'aurais des sueurs froides. Je sentirais la panique et l'angoisse me serrer le ventre.

La soirée est finie. Le bar ferme. Je suis restée jusqu'à la fin et je n'ai pas réussi à faire un seul dollar. Épuisée, je rentre à la maison en espérant recevoir un peu de réconfort de la part de Jonathan. Or, lorsque j'ouvre la porte, je le trouve en compagnie de Mélanie, une nouvelle fille, sur le sofa en train de l'embrasser. Ils ne me remarquent même pas. Je claque la porte, en proie à une forte colère. Ils sursautent.

— Qu'est-ce que vous faites?

Comme d'habitude, Young Gun a l'air de s'en foutre. Mélanie, elle, est horrifiée. Elle se confond en excuses.

— Excuse-moi, Butterfly, je voulais pas... je... mais on s'aime, énonce-t-elle en le regardant avec des yeux tendres. C'est arrivé comme ça!

Je ne peux pas m'empêcher de la trouver pathétique. Je ne peux pas m'empêcher de me dire qu'il n'y a pas si longtemps, c'était moi qui me pâmais devant Young Gun, ses beaux yeux et ses belles paroles. «T'es tellement belle!», «T'es tout pour moi», «Je ne te laisserai jamais tomber», «Tu seras en sécurité avec moi», «T'es ma princesse et ma princesse mérite tout ce qu'elle désire». Rien que du vent!

— Ta gueule, espèce de conne! Si ce n'était pas de moi, t'aurais probablement crevé parce que t'es trop stupide!

Elle écarquille les yeux, stupéfiée par ce que je viens de lui lancer en pleine figure.

— Sors deux minutes, ma belle, dit-il à Mélanie. Remonte seulement quand je t'appellerai.

Elle hoche la tête, comme une bonne petite chienne, et s'exécute docilement. Une fois qu'elle a disparu, j'explose.

– Pourquoi tu me fais ça, Jonathan ? J'fais tout ce que tu veux ! Je t'ai rapporté des tonnes d'argent, j'te ramène des nouvelles filles !

– Tu *faisais* de l'argent, dit-il en mettant l'accent sur le passé. Maintenant, tu rapportes plus rien. T'en vaux plus la peine !

Ébranlée par ses propos, je change de tactique. Je prends alors ma voix la plus doucereuse et m'avance vers lui, dans une tentative désespérée pour l'amadouer. C'est une chose de le penser, mais c'en est une autre de se faire confirmer qu'effectivement, entre nous, il n'y a plus rien.

– Je suis fatiguée, ces temps-ci. J'ai juste besoin de prendre une pause, c'est tout.

Je mets une main sur sa hanche et m'approche pour l'embrasser, mais il me repousse violemment.

– T'approche pas de moi, Leïla. Tu m'écœures.

– Ah bon ! Maintenant, c'est Leïla ? Butterfly, elle, tu n'en veux plus ? Hein, la belle Butterfly n'en fait plus assez ?

Il émet un petit rire méchant.

– T'es pathétique.

Je le vois bien. Entre lui et moi, c'est terminé. Mon cœur se serre, mais je vais au point qui m'intéresse le plus.

– OK. Toi et moi, c'est fini, c'est bon. Je me battrai pas. Tu peux baiser les petites fesses de Mélanie si ça te chante, je m'en fous. Donne-moi de la poudre, je vais aller en vendre.

– Pff! En vendre? Me prends pas pour le roi des cons! Dans tes rêves, dit-il en se retournant pour se diriger vers le sofa.

– Allez, juste un peu. Je vais te rapporter beaucoup d'argent. Des tonnes! Je ne garderai même pas de profit pour moi!

Il prend la télécommande et allume la télévision. Il zappe d'une chaîne à l'autre. Je m'interpose entre la télévision et lui.

– Donne-moi de la poudre ou je pars.

– Tu me rendrais un sacré service si tu faisais ça.

Je crie plus fort que je ne l'ai jamais fait.

– Je suis sérieuse!

Finalement, j'obtiens son attention. D'abord, son regard est sinistre et, pendant un instant, je crains ses foudres. Mais soudain, son attitude change.

– OK. Tu veux te racheter? J'vais te donner une dernière chance. Prends ton sac et tes affaires, on part.

Je ne lui pose même pas de question et me rue vers ma chambre. Je me sens stupide de lui avoir dit que tout était fini entre nous. D'ailleurs, pendant que je suis en train de ramasser quelques effets personnels, je lui crie que j'ai été stupide de dire ces choses et que je ne les pensais pas. Je l'entends me répondre que ce n'est pas grave, qu'il me pardonne. Un large sourire se pose sur mes lèvres et je me rends compte que Young Gun m'aime vraiment, peu importe toutes les conneries que j'ai faites ces derniers temps. Jonathan, c'est une perle rare! Il va falloir que je m'accroche à lui du mieux que je peux pour ne pas le perdre. Je me jure alors qu'à partir d'aujourd'hui je vais faire des efforts.

Aussitôt prête, je ressors de la chambre et il m'attend près de l'entrée, clés en main. Lorsque nous prenons place dans la voiture, il me répète que c'est ma dernière chance. Il m'emmène sur un nouveau territoire où j'aurai un coin de rue à moi pour faire mes ventes. Il espère vraiment que je ne le laisserai pas tomber. Je lui jure que non, soulagée qu'il croie encore en moi.

Je me sens mieux. Les choses s'arrangent. Je vais retrouver mon Jonathan, le gars dont je suis tombée amoureuse.

Une longue heure plus tard, nous nous arrêtons pour faire le plein à une station-service. Comment suis-je censée me rendre ici pour faire des ventes? Il me semble que c'est beaucoup trop long, beaucoup trop loin. Non?

— Tu devrais peut-être aller aux toilettes, on a encore un peu de route à faire, me dit-il le sourire aux lèvres.

— Bonne idée!

Oubliant bien vite ma réflexion, je vais demander la clé au commis et me rends ensuite aux toilettes. Je la dépose sur le lavabo et me regarde dans le miroir. Je suis affreuse. Je n'arrive pas à croire que j'ai laissé Jonathan me voir ainsi. Je comprends mieux pourquoi je l'écœure. J'ouvre le robinet et asperge mon visage d'eau fraîche. Je devrais aller prendre mon sac dans lequel j'ai mis ma trousse de maquillage. J'ai envie de me faire belle pour mon amour.

Alors que j'avance vers la voiture, Jonathan sort du dépanneur, où il est probablement allé payer l'essence. Je remarque qu'il presse le pas. Mon cœur s'emballe et je reste paralysée sur place. Qu'est-ce qu'il fait? Il s'engouffre dans l'auto et démarre en trombe. Non! Je m'élance derrière la voiture, dont les roues soulèvent une fine poussière derrière elles.

— Jonathan! Attends!

La voiture s'arrête. Il m'avait oubliée! Je souris, soulagée. Qu'est-ce qu'il peut être tête en l'air, des fois! Je presse le pas à mon tour et vois la fenêtre côté conducteur s'entrouvrir. Il jette mon sac sur le sol et repart tout aussi vite. Une vague de panique m'embrase tout entière pendant que je tends les mains, comme pour le rattraper. Mais je suis trop loin. Je me mets à courir derrière la voiture, aussi vite que j'en suis capable. Dans un cri, je tombe au sol et mon visage se cogne durement contre le pavé. Je sens le goût ferreux du sang sur mes lèvres.

— Jonathan, non! Me laisse pas ici! Jonathan!

Je regarde la voiture s'éloigner, la respiration haletante, impuissante. J'ai crié son nom jusqu'à en perdre le souffle.

Il est trop tard, il est trop loin. Il ne m'entend pas. Il ne veut plus m'entendre.

18

Me revoilà au point de départ. Assise sur un banc de parc, non loin de la station d'essence où Young Gun s'est tout simplement débarrassé de moi. Lorsque toute cette histoire a débuté, je croyais que je gagnerais tellement avec cette nouvelle vie ! J'étais pleine d'espoir. Mais me voilà ici avec rien de plus, mais tout en moins.

Je n'arrive pas à croire qu'il m'a tout simplement abandonnée ici. Je pensais que je signifiais beaucoup plus pour lui, ou du moins que je valais plus. Il s'est débarrassé de moi comme d'une vieille chaussette. Sans aucun sentiment, ni attache. Le salaud.

Il faut que je trouve une solution. Je tente de clarifier mes idées et me convaincs que je n'ai pas besoin de lui. Je peux facilement m'en tirer toute seule. Je n'ai qu'à me rendre sur une rue très passante pour repérer un client et me faire un peu d'argent. Tout ça en claquant des doigts. Ce soir, je n'aurai pas le choix.

19

Mes parents et moi sommes assis dans le salon. Remplis d'angoisse. Nous allons recevoir de nouvelles informations de la part de l'enquêteur Langevin. Il a téléphoné il y a environ une demi-heure et nous a dit qu'il avait de bonnes nouvelles. Nous ne savons pas encore de quoi il s'agit, mais il est en route. Il n'a pas l'habitude de se déplacer, donc ça nous fait penser qu'il ne peut qu'avoir d'excellentes nouvelles pour nous.

Je ne peux plus rester assis. Je me lève et commence à faire les cent pas. Ma mère me demande de me rasseoir, parce que je la rends nerveuse, mais j'en suis incapable. Tout ce que je souhaite, c'est qu'il nous dise que Leïla est vivante, en santé, et qu'il nous la ramène bientôt. Mieux encore, qu'elle soit avec lui. Après lui avoir donné la raclée de sa vie pour nous avoir fait une peur pareille, je me promets de la prendre dans mes bras et de lui dire à quel point je l'aime.

On sonne à la porte ! Comme je suis déjà debout, je me précipite et l'ouvre, pendant que mes parents restent assis, les yeux pleins d'espoir. En apprenant que nous aurions de nouvelles informations, mon père s'est rué à la maison. Même s'ils ne forment plus un couple, ça fait du bien de voir mes parents ensemble dans la même pièce sans qu'ils s'engueulent sans arrêt.

— Bonjour, enquêteur Langevin, dis-je en lui serrant la main. Entrez.

Sans plus de cérémonie, il s'installe dans un fauteuil et sort ses documents.

— Alors, voici les bonnes nouvelles : nous savons que Leïla est vivante et qu'elle va relativement bien.

Aussitôt, mes parents poussent un long soupir de soulagement et s'étreignent. En un instant, ils viennent de mettre leurs différends des derniers mois de côté pour le bien de leur fille.

— Comme nous l'avait révélé Ariane, elle est bien à Montréal. Elle a été rencontrée par un médecin du CLSC Jeanne-Mance. Étant donné les circonstances, ils ont levé le voile de la confidentialité. Elle semblait avoir besoin d'un suivi médical et elle a beaucoup maigri. Le médecin a d'ailleurs eu de la difficulté à la reconnaître. Lorsqu'elle a tenté de la retenir, Leïla est partie à la course en la poussant. Ils n'ont pas été en mesure de la rattraper.

— Oh mon Dieu ! s'exclame ma mère.

— Quelle est la prochaine étape ? demande mon père.

— Nous avons commencé une surveillance plus serrée dans les environs. Nous avons aussi demandé à une équipe de se promener avec des photos et de garder les yeux ouverts.

— C'est tout ? renchérit ma mère.

FILLE À VENDRE

— À cette étape-ci, il n'y a rien d'autre que nous puissions faire.

Je bous intérieurement. Je comprends que nous n'ayons pas d'autres indices qui pourraient nous mener vers Leïla, mais j'ai l'impression que de «garder l'œil ouvert» ne nous mènera nulle part. C'est extrêmement frustrant. Si l'inspecteur Langevin était à notre place, il lancerait probablement toute la cavalerie pour retrouver la personne qu'il aime. J'ai l'impression qu'il s'en moque bien et que Leïla n'est pour lui qu'un dossier parmi tant d'autres.

Nous sommes si près du but, je le sens! Ma sœur semble si proche et si loin en même temps!

20

Le moral de plus en plus bas, je tombe bientôt sur un hôtel minable, du genre de ceux où j'allais avec Young Gun. Eurêka ! Pourquoi n'y ai-je pas pensé plus tôt ? Je pourrais facilement trouver un client dans les alentours ! Un homme s'avance pour entrer, mais je l'arrête pour lui proposer mes services.

— Hé, t'as envie que je fasse quelque chose pour toi ?

Il s'arrête et me regarde furtivement. Il a l'air intéressé.

— Qu'est-ce que tu peux faire ? dit-il en regardant de gauche à droite, comme s'il avait peur qu'on le surveille.

— Tout ce que tu veux !

— C'est combien ?

— Ça dépend. Mais je peux te faire un bon prix, lui dis-je en posant une main câline sur son épaule. Je suis…

Je n'ai pas le temps de finir ma phrase qu'une fille énorme vient nous interrompre. Juchée sur des talons d'une hauteur démesurée, elle se poste devant nous avec ses seins qui gigotent dans tous les sens. Elle semble de mauvaise humeur.

— On peut savoir qu'est-ce que tu fous ? me demande-t-elle sèchement.

— Je travaille, tu permets ?

Je reporte mon attention sur mon client, mais elle continue.

— T'es stupide ou quoi ? Tu penses que tu peux te planter là, comme ça, où tu veux, et prendre des clients ? Ça marche pas comme ça !

Exaspéré par cette discussion qui ne mène à rien pour lui, l'homme qui aurait pu être mon passeport pour quelques lignes et une bouteille de vodka s'éloigne. Je suis hors de moi.

— Tu vois ce que t'as fait ? T'as fait fuir mon client !

Je m'élance à sa poursuite – il n'est pas encore très loin –, mais elle m'arrête en posant une main lourde sur mon avant-bras. Je me dégage brusquement.

— C'est quoi, ton problème ?

— T'as pas le droit d'être là, fille ! Ici, c'est mon coin de rue ! Si tu t'amuses à te mettre sur le territoire de n'importe qui, t'es pas mieux que morte !

Elle ramasse mon sac à dos et me le lance en pleine figure.

– Fous le camp avant que j'te casse la gueule !

Je ramasse précipitamment mon sac.

Pendant qu'elle rit de l'effet qu'elle a sur moi, je m'éloigne lentement dans l'autre direction. Je ne pensais pas que ce serait si compliqué. Je croyais que je n'avais qu'à me mettre sur un coin de rue sans trop attirer l'attention et ramasser de l'argent. Mais j'aurais dû y penser. Rien n'est jamais si simple.

Découragée, je retourne près de la station-service et remarque une autoroute qui passe tout près. Je me dis que, peut-être, je devrais mettre les voiles. Après tout, il n'y a plus rien qui me retient ici. J'ai perdu le gars que j'aimais et je ne pense pas être assez désespérée pour aller ramper à ses pieds. Je… Il me semble que je n'ai pas envie de me rendre si bas. À moins que j'aie déjà atteint le fond du baril et que je ne m'en sois pas rendu compte ? Peu importe. Il n'y a plus rien pour moi ici.

Dans les films, il y a toujours un bon Samaritain qui vient en aide à la jeune fille en détresse. Je ne sais pas si je vais être aussi chanceuse, mais au point où j'en suis, la seule option qu'il me reste, c'est d'essayer. Je demande à tous ceux qui arrêtent faire le plein s'ils veulent m'emmener avec eux, mais la plupart m'ignorent. Il y a bien une heure que je suis là à jouer les jeunes filles en détresse. Mais j'ai l'impression que ça en fait dix. Personne ne veut s'encombrer de moi. Mon look doit y être pour quelque chose. Faut dire que si je voyais une fille comme moi, squelettique, avec une minijupe, un collant déchiré, les cheveux défaits, les yeux injectés de sang et la lèvre enflée, qui demande qu'on l'embarque, elle pourrait bien crever. Si même moi, je ne me fais pas confiance, c'est peine perdue. Au moment où je me résigne à trouver un autre banc de parc où dormir, un camion s'arrête à ma hauteur. Le chauffeur descend sa vitre et se penche pour me parler.

— Besoin d'un *lift*, fille ?

— Où est-ce que tu vas ?

— Magog. Ça te va ?

— Ouais, n'importe où sauf ici.

Une fois montée, je remarque une forte odeur de cigarette et de bière. Il est probablement soûl, mais je m'en fous.

— Qu'est-ce qu'une jeune fille comme toi fait toute seule ici à voyager comme ça sur le pouce ? T'es pas censée être chez toi à cette heure-ci ?

Je ne réponds pas.

Ses yeux ne me lâchent pas. Sa respiration se fait de plus en plus lourde.

— C'est pas la première fois que j'embarque une fille dans ton genre, tu sais.

— Ah oui ? Et c'est quoi, mon genre ?

FILLE À VENDRE

— Le genre de fille qui serait prête à faire n'importe quoi pour qu'on l'emmène que'que part gratuitement.

Il se lèche les babines, comme si j'étais un hamburger géant. Je vois très bien où il veut en venir.

— C'est cent piasses.

— Cent piasses ?! C'est moi qui te rends service, au cas où t'aurais pas remarqué ! J'te donne quarante piasses, pas plus !

— Soixante et je fais c'que tu veux dès que tu peux t'arrêter.

Ça ne lui prend pas trop de temps à trouver un bas-côté où se ranger. Aussitôt le camion arrêté, il tente de m'enlever mon manteau, mais je veux l'argent d'abord. Il pousse un soupir exaspéré et me tend trois billets de vingt. Dès que j'ai mis mon précieux butin en sécurité, ses grosses pattes poilues se posent sur mon corps.

Pendant qu'il arrache ma jupe, je souris en me disant que je lui donnerai sans doute une ITS. Ça lui apprendra, à ce gros cochon, à profiter d'une fille de quinze ans.

21

– Ce soir, nous recevons une musicienne qui fait un malheur partout où elle passe. Après avoir vendu près de deux millions d'albums et fait le tour du monde, elle est finalement de retour au Québec. Mesdames et messieurs, veuillez accueillir une de nos fiertés nationales, Leïla Desrochers !

La foule se déchaîne dans un tonnerre d'applaudissements. J'avance sur le plateau de télé pour aller rejoindre l'animatrice et je prends le temps de saluer chaleureusement mes fans au passage. J'ai l'impression de flotter. Après une embrassade amicale avec l'animatrice, je prends place sur le sofa de cuir blanc.

– Bienvenue, Leïla !

– Merci de me recevoir ! Ça fait tellement de bien d'être de retour là où tout a commencé !

– J'imagine ! Qu'est-ce qui t'a inspiré pour l'écriture de tes chansons ? Certains textes sont vraiment noirs...

— *Oui… Malheureusement, tout ne peut pas être positif dans la vie! Mais le négatif nous permet d'apprendre, de grandir… Ça fait aussi du bien de se défouler, parfois! À ce sujet, la chanson « A** hole » s'adresse à un certain Jonathan. Il va certainement se reconnaître!*

Les spectateurs se mettent à rire de bon cœur et je les imite.

— *La prochaine ville québécoise où tu te rends dans le cadre de ta tournée est Magog, n'est-ce pas?*

— *Magog? Non, je ne vais pas à Magog, je vais…*

— *Oui, oui! Magog! On est rendus, d'ailleurs!*

— *Pardon?*

— Allez, descends! grogne le gros camionneur. On est rendus à Magog. *Envoye*, j'ai pas juste ça à faire!

Je saute du camion. Il fait crisser ses pneus et s'éloigne sans plus attendre. Je ne sais pas quelle direction prendre. De toute façon, gauche, droite, tout ce dont j'ai vraiment besoin, c'est quelque chose à fumer ou à sniffer. Et un endroit où dormir.

En marchant, je tombe sur un motel et le coût d'une chambre est indiqué en gros caractères sur une pancarte : « 35 $ la nuit ». Je me laisse tenter. Ce soir, je n'ai pas envie de dormir dehors. En plus, j'ai vraiment envie de prendre une douche.

Je pousse la porte et jette un coup d'œil dans le hall. Derrière le comptoir, il y a un gars, pas tellement plus vieux que moi, qui joue sur une console PSP. En me voyant, il se redresse et met son jouet de côté.

– Salut. Je peux t'aider ?

– Ouais, je voudrais une chambre.

– OK, c'est 35 piasses d'avance et il faut remplir ça.

– C'est bon.

– C'est au fond du couloir, à gauche, fait-il en me tendant la clé de la chambre

Je m'éloigne dans la direction qu'il m'a indiquée, mais je rebrousse chemin. Je vais tenter ma chance, on ne sait jamais. Je me racle la gorge.

– Hum... Saurais-tu où je peux trouver... des... j'veux dire... quelqu'un qui vend des trucs ?

– Des trucs ?

– Ouais, tu sais..., dis-je en mimant un joint entre mes doigts.

– Non.

– De l'ecstasy, du meth, de la coke, que'que chose ! Vous êtes arriérés ici ou quoi ?

Il rit, comme s'il se moquait de moi.

— Je peux te fournir tout de suite si tu veux.

Je me mets à saliver juste à l'idée qu'il serait capable de me vendre quelque chose.

— Qu'est-ce que t'as ?

— Du LSD.

— C'est quoi ?

— Et c'est moi que tu traites d'arriéré ? (Il ricane.) *It's a slice of heaven.* C'est liquide, donc on le met sur du buvard. T'as qu'à l'avaler avec un peu d'eau. Avec ça, tu te sens bien ou tu te mets à capoter, ça dépend de chaque personne. Expérience hors du commun garantie !

— OK, j'en veux.

— C'est dix dollars chaque.

— Quoi ?! T'es complètement fou !

— Non, c'est même un super prix. Tu trouveras pas mieux dans le coin.

Je pousse un soupir.

— Ça va… J'en veux trois.

Je me dirige ensuite vers ma chambre. Une fois entrée, je dépose les trois petits cartons sur la table de chevet et je saute dans la douche. J'avais trop hâte de me débarrasser de l'odeur du gros camionneur. Pendant que l'eau chaude coule sur mes épaules, je sens tous mes muscles se détendre. C'est comme si j'avais passé les derniers jours dans une boîte.

Je n'ai pas pris le LSD tout de suite, même si j'en avais envie. Je veux pouvoir parler clairement quand j'appellerai Ariane. Je veux m'excuser d'avoir été si méchante avec elle. Elle ne méritait pas ça. Et puis, je voudrais avoir des nouvelles de tout le monde. Ma famille me manque. De plus en plus.

Une fois sortie de la douche, je me regarde dans le miroir. Il y a longtemps que je n'avais pas vu mon visage dépouillé de maquillage. Je peux voir mes anciens traits. Mes bons vieux traits. Ceux de Leïla. Je peux presque percevoir l'adolescente que j'étais avant.

Je m'installe au bord du lit pour composer le numéro d'Ariane. Il est presque vingt-trois heures, mais demain, c'est samedi. Elle devrait être encore debout.

– Allô ? répond-elle en criant.

On dirait qu'elle est dans une fête.

– Ariane, c'est Leïla.

Elle ne dit rien pendant un instant. Peut-être qu'elle a mal entendu.

– C'est moi, Ari, Leïla.

Après un court silence, elle me dit :

– Leïla, c'est vraiment toi ?

– Oui, c'est vraiment moi.

Nouveau silence.

– Comment vas-tu ? me demande-t-elle froidement.

Je m'attendais à ce qu'elle soit fâchée. C'est normal après tout ce temps où je ne lui ai pas donné de nouvelles.

– Pas bien.

Je fonds en larmes. Pas de réaction à l'autre bout du fil. Avant, elle aurait dit n'importe quoi pour me consoler. Mais là, rien. C'est à n'y rien comprendre. Finalement, elle brise le silence.

– Leïla, je…

– Si tu savais comment ça fait du bien d'entendre quelqu'un m'appeler par mon nom ! Ça…

– La police est venue me poser des questions à ton sujet, me coupe-t-elle. Je leur ai dit que tu étais à Montréal. Excuse-moi d'avoir trahi ma promesse, mais je ne pouvais plus garder le secret.

– C'est pas grave ! Mais là, je ne suis plus à Montréal, je suis à…

– Je veux pas le savoir. Je veux plus que tu me mêles à tes histoires.

FILLE À VENDRE

Je rêve ou quoi? Pouvez-vous remettre ma meilleure amie, Ariane Blondin, au téléphone, s'il vous plaît? Je m'apprête à continuer, mais une voix familière résonne en arrière-plan.

– Hé, bébé, tu viens? On va couper le gâteau!

C'est Patrick! *Mon* Patrick. Le Patrick qu'elle trouvait trop con. Le Patrick qui, selon elle, ne me méritait pas. Et là, ils sont ensemble???

– Tu… tu sors avec Patrick?

– Oui, dit-elle platement.

Elle ne s'en cache même pas!

– Ça fait combien de temps?

– Trois mois. Il avait besoin d'une épaule pour pleurer et j'étais là. C'est arrivé comme ça, c'était pas planifié.

– C'est une blague?

– Non, pas du tout.

– Je peux pas croire que tu me fasses un truc pareil! Je pensais que t'étais mon amie!

Elle soupire.

– Bon, faut que j'y aille. J'espère que ça va s'arranger pour toi. Bonne chance.

FILLE À VENDRE

Je n'entends plus rien à l'autre bout du fil. Elle a raccroché. Je repose le combiné sur sa base. Je voudrais crier qu'Ariane est morte pour moi. Mais les mots restent coincés dans ma gorge. Je regarde les petits carrés de carton sur la table. Je les pose délicatement dans le creux de ma main et me rends à la salle de bains, où je bois une gorgée d'eau à même le robinet pour les faire passer. Je laisse tomber ma serviette sur le sol et j'enfile une robe sans même prendre le temps de mettre de sous-vêtements. Les cheveux encore humides, je sors de la chambre et longe le couloir d'un pas léger.

Je demande au gars derrière le comptoir :

— Où est-ce qu'on peut avoir du *fun* dans le coin ?

— Tu peux aller au Summum. C'est à Sherbrooke. C'est vraiment cool comme place, mais faut avoir dix-huit ans pour entrer... Attends-moi si tu veux, je finis dans une demi-heure. J'ai une voiture. Je pourrais t'y emmener et te faire passer facilement.

— OK.

Je vais m'asseoir sur une des chaises dans l'entrée pour l'attendre. Je frotte mon visage pour faire disparaître les points de couleur qui dansent devant mes yeux. Rien n'y fait. Je croyais que ce qu'il m'avait vendu, c'était du bonheur. Je ne le sens pas encore. Tout ce que je sens dans mon corps, c'est une douleur sans nom. J'essaie de ne pas penser à ce que je viens tout juste d'apprendre, mais c'est impossible. Comment oublier ce qu'Ariane m'a fait ? De toutes les personnes sur cette terre, je n'aurais jamais cru qu'elle serait celle qui me blesserait autant et si profondément.

FILLE À VENDRE

À cet instant, un homme d'un certain âge fait irruption dans le motel. Il se dirige vers le comptoir et passe derrière. Ça doit être le remplaçant. Finalement, il remarque ma présence.

– Ah ! Bonsoir, mademoiselle, est-ce qu'on vous a répondu ? me demande-t-il d'un ton sympathique.

Le garçon – que l'homme a appelé Marc, d'après ce que j'ai entendu – s'empresse de répondre à ma place.

– Oui, oui, elle est avec moi !

– Viens, Leïla, on y va.

C'est presque *cute*. Il a pris le temps de lire la fiche que j'ai remplie plus tôt, donc il connaît mon nom. Il me prend par la main et m'entraîne vers sa voiture.

– J'ai des amis qui vont venir nous rejoindre, dit-il.

– Cool. Il est où le club de danseuses le plus proche ?

– Quoi ?

– Le club de danseuses.

– À dix minutes d'ici, pourquoi ?

– J'ai besoin de travailler.

22

– Mademoiselle ? Mademoiselle, est-ce que ça va ?

Hein, quoi ? Je suis où ? Qui est-ce ? Quand j'arrive finalement à ouvrir les yeux, je reconnais vaguement cette tête toute
blanche penchée au-dessus de moi. C'est le type qui est venu
remplacer Alain… Euh, non, Marc ?… Peu importe, le type
derrière le comptoir du motel… le type avec lequel je suis sortie
hier. Qu'est-ce qui s'est passé déjà ? Tout est très flou dans ma
tête. J'ai bu, sniffé, dansé… Toujours la même histoire. Bref, je
suis de retour dans le hall du motel. Marc m'a probablement
laissée là pendant que le vieil homme n'était pas au comptoir.
Il m'aide à me relever et fait passer mon bras autour de son
épaule pour que je puisse tenir debout… tant bien que mal…

– Mais qu'est-ce qui t'est arrivé ?

– Je sais pas, il faut que…

Je n'ai pas le temps de finir ma phrase. Je vomis presque sur
ses pieds.

— Oh mon Dieu, s'exclame-t-il.

— Je veux aller à ma chambre…

Tandis que je titube et trébuche, il me guide jusqu'à ma chambre. Il ouvre la porte et m'installe sur le lit.

— Qui puis-je appeler pour venir te chercher ? me demande-t-il en saisissant le téléphone.

— Personne…

— Comment, personne ? Il doit bien y avoir quelqu'un que je puisse…

Je crie pour le faire taire.

— Non, j'ai personne, va-t'en !

Il remet le combiné en place et me regarde d'un air désolé. Comme pour ne pas attiser ma colère, il recule à pas feutrés et referme la porte doucement derrière lui.

— Je veux plus t'voir ici ! Combien de fois je vais devoir t'le répéter ? Ça fait combien de temps que tu t'es pas lavée, hein ?

Il me tient par le bras, comme une petite fille qu'on chicane. La différence, c'est que c'est mon boss qui me met à la porte, parce qu'il dit que je sens trop mauvais.

— *Come on*, Bob, donne-moi une chance ! Je vais aller me laver et je reviens, OK ?

— Non, je veux plus te voir la face ! Décrisse !

Il ouvre la porte du bar et me jette dehors comme si j'étais un vulgaire sac-poubelle. Je tombe dans une grosse mare d'eau de pluie. C'est froid.

Tous les mêmes ! Ils se rendent pas compte de la chance qu'ils ont d'avoir quelqu'un comme moi ! Je suis la crème de la crème ! Il va voir ! Je vais aller me laver, me maquiller, me coiffer, et il va regretter de ne pas m'avoir gardée. Je vais lui voler toute sa clientèle ! Mieux que ça, je vais m'arranger pour ouvrir mon propre bar ! Moi, mes travailleuses, je vais les traiter comme du monde, pas comme de la merde !

Je marche aussi droit que je peux en direction du motel où je vis depuis environ trois semaines. Comme je n'ai pas fait le moindre sou depuis que je suis ici, je ne sais pas pourquoi on ne m'a pas encore mise dehors. Ça doit être à cause des faveurs sexuelles que j'offre régulièrement à Marc. En échange, il me fournit aussi de la drogue.

Il y a aussi le vieux, qui le remplace en fin de soirée. Je sais pas c'est quoi son problème, mais il me demande toujours comment je vais et me dit d'aller le voir si j'ai besoin de quelque chose. Chaque jour, il me répète la même salade en souriant. D'ailleurs, à l'instant où j'entre au motel, c'est lui qui est au comptoir.

— Bonsoir, Leïla !

Je les regarde d'un œil soupçonneux, lui et son sourire à mille piasses. Je l'ignore et me dirige vers ma chambre. Mais ça ne peut pas être aussi facile, il faut qu'il en ajoute encore.

— N'oublie pas que si tu as besoin…

— Ouais, ouais, j'le connais, ton disque. Qu'est-ce que t'attends de moi exactement? je lui demande en m'appuyant contre le comptoir.

Ce faisant, je sais très bien que mon décolleté laisse entrevoir mes seins. Je me mets à les caresser d'un doigt léger.

— Tu veux un peu de ça, hein? je fais en désignant ma poitrine. C'est pas compliqué, moyennant quelques dollars, on peut s'arranger.

— Je ne veux rien de toi, jeune fille! Redresse-toi! me dicte-t-il d'un ton autoritaire. Conduis-toi comme quelqu'un qui se respecte!

J'obéis sans réfléchir. Il me fait penser à mon père. Tous les vieux ont le même ton autoritaire ou quoi?

— C'est quoi, ton problème? Tu te prends pour mon père?

— Non, mais franchement, tu en aurais besoin d'un! Tu te comportes comme une dévergondée! Tu n'as rien de mieux à faire, comme aller à l'école, par exemple?

— Eille! Me fais pas la morale, OK? Tu sais rien de moi ou de ce que j'ai vécu!

— Si, justement ! C'est écrit en grosses lettres sur ton visage ! Tu te drogues et tu te prostitues parce que tu penses que tu ne vaux pas mieux ! Je le sais parce que ma fille a fait pareil. Et tu sais quoi ? Elle est morte d'une overdose !

Ce qu'il vient de dire me frappe direct au cœur. C'est donc pour ça qu'il m'offre toujours son aide ? Sa respiration est haletante. Il se calme finalement, comme étonné lui-même par sa tirade, et se met à ranger les papiers devant lui. Il pose de nouveau son regard sur moi et pousse un long soupir.

— C'est ta dernière nuit gratuite ici. Si tu veux rester, il va falloir que tu payes.

Il est sérieux, je le vois dans son regard glacial. Je ne trouve rien à ajouter et sors en prenant bien soin de faire claquer la porte. S'il pense que son petit discours paternaliste va changer quelque chose, il se met un doigt dans l'œil. Il y a des tonnes de motels dans le coin, je suis pas obligée de rester ici. En entrant dans ma chambre, je tombe sur Marc, assis sur le lit.

— Qu'est-ce que tu fais là ?

— Ta porte n'est jamais verrouillée, dit-il en se levant et en s'avançant vers moi. Qu'est-ce que tu fais ?

— Je m'en vais ! Ça paraît pas assez ?

— Pourquoi ?

— Ton pote au comptoir vient de me foutre à la porte !

Il place ses mains sur mes hanches.

— Ben non, reste, je vais payer ta nuit, dit-il en m'embrassant dans le cou.

— Non merci ! Lâche-moi, là, il faut que je m'en aille !

— Non, reste ! J'ai envie de plus avec toi. T'es tellement belle, tellement libre ! J'ai envie qu'on passe au niveau supérieur. On serait parfaits comme couple.

Je plisse les yeux, pour m'assurer qu'il est sérieux. Il me regarde d'un air presque romantique. Je pouffe de rire.

— T'es pathétique, Marc, tu sais ça ? Tu penses que toi et moi, on va former un gentil petit couple, qu'on va se marier et avoir des enfants ? Dans tes rêves !

Je le repousse et continue à remplir mon sac.

— J'ai envie de toi, Leïla, j'te veux vraiment !

Je sais pas si c'est mes oreilles qui déraillent, mais j'entends de l'agressivité dans sa voix.

— Non, désolée, la boutique est fermée !

— Allez, tu refuses jamais d'habitude !

Il s'avance de nouveau et, cette fois, il m'agrippe rudement par un bras. Soudain, j'ai peur. Je me dégage et m'élance vers la porte, mais il est plus rapide que moi. Il m'empêche de l'ouvrir et me projette au sol pendant qu'il la verrouille. À quatre pattes, je fonce aussi vite que je peux vers la salle de bains, mais il m'attrape par une cheville. J'ai beau me débattre, Marc est plus fort qu'il n'y paraît. Il réussit à me placer sur le dos et me donne une claque sur la joue gauche. Un cri de douleur m'échappe. J'essaie de le griffer et de mettre mes doigts dans ses yeux, mais il esquive chacune de mes tentatives. Il se redresse pour défaire la fermeture éclair de son pantalon et, tandis qu'il s'exécute, je lui donne un coup de pied dans les parties, ce qui le fait s'écrouler de douleur. Dès que je suis debout, je titube jusqu'à la salle de bains et m'effondre sur le carrelage. Je n'ai plus de forces. J'ai la tête qui tourne, la nausée, j'ai mal partout. Je tombe dans un état second. Tout est flou, lointain, mais je reste consciente. Anesthésiée, mais consciente.

Je sais qu'il me pénètre. À chaque coup de reins, mon cœur se soulève. À chaque coup de reins, j'ai l'impression de partir un peu plus et que, cette fois, je ne reviendrai pas. Je le regarde dans les yeux, l'implorant de s'arrêter, mais il place sa main sur mon visage et me crie de ne pas le regarder. Il bloque ma respiration. Mon souffle devient court, je n'arrive plus à respirer. Soudain, j'entends des bruits sourds, comme si on tentait de défoncer la porte. Mais c'est trop tard. Je me sens légère. Légère comme une plume. Je n'ai plus mal.

PARTIE 4

Remonter la pente ?

23

Un bip-bip régulier me tire de mon sommeil. J'ai l'impression d'avoir dormi pendant des semaines. Je cligne doucement des yeux pour m'accommoder à la lumière aveuglante. En me redressant, je me demande pourquoi je me sens si confortable. Où est Marc? Je pose les yeux sur ma main droite et remarque qu'une intraveineuse y est fixée. Quand je regarde autour de moi, je comprends que je suis dans un hôpital. Comment me suis-je retrouvée ici? Où suis-je? Que m'est-il arrivé?

— Elle est réveillée! Elle est réveillée!

Sophie? Ma petite Sophie?! C'est bien elle, je ne rêve pas! Elle sautille dans tous les sens. Quelques secondes plus tard accourt ma mère, suivie de mon père et de Luc. Ils sont en larmes, tous les trois.

10042013

Je suis au courant de tout. Les derniers événements ne sont pas encore clairs dans ma tête, mais en attendant, je suis en sécurité. L'enfer des derniers mois est terminé.

J'ai été secourue par André, le vieil homme du motel. Dès qu'il a entendu les cris provenant de ma chambre, il s'est porté à mon secours. Il m'a dit qu'il avait dû maîtriser Marc pour qu'il reste en place le temps que la police vienne le cueillir. André est venu me rendre visite à l'hôpital et j'ai pu le remercier. Il était content d'avoir pu me sauver. C'était comme s'il avait sauvé sa fille à travers moi… En tout cas, c'est ce qu'il m'a dit. Nous avons longuement pleuré dans les bras l'un de l'autre pendant que mes parents nous observaient depuis le seuil.

Lorsque je suis arrivée à l'hôpital de Sherbrooke, ils ont mis un moment à m'identifier. Je n'avais aucun papier sur moi. C'est en consultant la liste des personnes disparues qu'ils ont trouvé ma photo et toute l'information à mon sujet. Ensuite, ils ont appelé mes parents, qui ont débarqué ici en moins de deux.

Je suis restée dans le coma durant trois jours. Mes parents m'ont ensuite fait transférer à Montréal, à l'hôpital Sainte-Justine, où mon père travaille. Il voulait être dans son élément pour prendre soin de moi.

Ma première nuit éveillée a été un véritable cauchemar. Je suis passée par toute la gamme des symptômes physiques et psychologiques du sevrage. J'ai eu des maux de crâne insensés, des hallucinations, des bouffées de chaleur suivies de grelottements, et l'impression constante d'avoir du sable dans la bouche. Zéro salive ! Mais le pire, c'était les cauchemars lorsque je m'assoupissais un moment. Young Gun était là et il avait l'air tellement réel ! Il flottait au-dessus de mon lit et je n'avais qu'à étirer le bras pour le toucher, frôler doucement ses lèvres qui me souriaient. Il me caressait doucement la joue, me disait qu'il m'aimait et l'instant d'après, paf! Il appuyait un long couteau effilé contre ma gorge en me menaçant de me retrouver pour me faire la peau. Je me débattais alors de toutes mes forces, le griffais, lui donnais des coups de pied… jusqu'à ce que mon père me secoue pour me réveiller. Il avait les larmes aux yeux, mon papa. C'était la première fois que je le voyais dans cet état.

Plus les jours avançaient, mieux j'allais. Ce n'était pas toujours la grande forme, mais peu à peu, mon corps s'habituait à ne pas recevoir son *fix*.

Ce matin, l'inspecteur Langevin m'a demandé de tout lui raconter. J'ai donc pris mon courage à deux mains et je me suis vidé le cœur. Dans les moindres détails, même les plus sordides, comme la mort d'Andréanne…

Il m'a fait savoir qu'il était heureux de me retrouver et a tenu à préciser que j'avais beaucoup de chance, car la plupart des histoires comme la mienne ne se terminent pas toujours aussi «bien».

L'inspecteur m'a aussi demandé si je souhaitais porter plainte contre Jonathan. Il a ajouté que même si je ne le faisais pas, avec toute l'information que je venais de lui donner, il lui serait facile d'obtenir un mandat d'arrêt contre cet individu. Je lui ai répondu: «Je ne sais pas…»

Pour tout dire, j'ai peur. J'ai peur de retomber sur lui un jour et qu'il se rende compte qu'il aurait dû m'éliminer plutôt que de m'abandonner quelque part. Je sais que s'il avait cru que c'était nécessaire, Young Gun m'aurait probablement déjà tuée.

Il doit s'être dit que je ne mentionnerais jamais rien à la police puisque j'ai moi-même participé aux activités illégales de son gang, comme la vente de drogue.

Et voilà que je viens de tout déballer... Si jamais Young Gun en venait à se faire pincer, est-ce qu'il se donnerait comme mission de me retrouver et de se venger en sortant de prison ? Est-ce que d'autres membres du groupe essaieraient ? Je ne sais pas. Je ne saurai peut-être jamais. Mais je vais devoir vivre avec cette incertitude tout le reste de ma chienne de vie...

Dans cette histoire, même si je suis une victime, je ne peux pas nier avoir joué le rôle de bourreau, car j'ai participé au recrutement d'Andréanne. C'est vrai que je ne l'ai pas contrainte à avoir des relations sexuelles avec tous ces hommes, mais je l'ai menée dans ce guet-apens. J'ai participé à la destruction de la vie d'une personne... Une enquête sera ouverte afin de déterminer si des accusations seront portées contre moi. Andréanne... Je suis vraiment désolée pour tout le mal que je t'ai fait...

Luc est abasourdi. Je viens de tout lui raconter, avec autant de détails que pour l'inspecteur Langevin. Plus j'avançais dans mon récit, plus je voyais la rage dans ses yeux, mais surtout, l'incompréhension. Papa et maman voulaient tout savoir eux aussi, mais je ne suis pas prête à leur raconter. Du moins, pas tout de suite.

Mon frère ne sait pas quoi dire. Je vois bien qu'il voudrait, mais il reste là à m'observer, sans pouvoir dire un mot. En même temps, je sais bien qu'il s'attarde à mon visage tuméfié, mes joues creuses.

– Pourquoi ? Pourquoi es-tu restée si longtemps ?

– Je l'aimais…

– Non, ne me dis surtout pas que tu l'aimais ! lâche-t-il, les larmes aux yeux. C'est impossible !

– Pourtant, c'est vrai. Si tout ça a commencé, c'est parce que j'voulais avoir le sentiment de compter pour quelqu'un. Je l'aimais et j'pensais vraiment qu'il m'aimait en retour. Pour une fois, j'étais le centre de l'univers de quelqu'un. J'étais pas… J'étais pas juste une source de problèmes pour mes parents, entre un frère brillant qui étudie à l'université et une petite sœur sage comme une image.

– Tu veux dire que c'est notre faute si…

Je m'empresse de le détromper.

– Non, non, pas du tout. Ce que je veux dire, c'est…

Je pousse un long soupir.

– J'pense que… que j'avais besoin de ça pour me trouver et comprendre que ma place dans le milieu, entre Sophie et toi, finalement, ça me va.

Des larmes roulent sur mes joues. Mon frère se laisse aller lui aussi et pleure tout autant que moi. On se serre fort dans nos bras. Mon frère. C'est terrible comme il m'a manqué !

24

– Alors, qui a envie de se lancer, maintenant?

J'essaie de me faire la plus petite possible, même si je sais très bien que Lorraine, l'intervenante, me voit toujours. Je suis certaine qu'elle va encore me demander de m'ouvrir au groupe… Merde, je n'en ai pas envie!

– Leïla? As-tu envie de partager ton expérience avec nous, aujourd'hui?

Qu'est-ce que je disais? Grrrr!

– Je…, dis-je, hésitante.

– Allez. Tu vas voir, ça va te faire du bien.

Elle m'adresse un sourire d'encouragement. Toutes les autres filles me dévisagent et attendent que je partage avec elles, moi aussi. Je déteste avoir toute cette attention. Et pourtant, il y a quelques mois, je me nourrissais de l'attention des autres…

FILLE À VENDRE

Je suis au centre Portage. Un centre de réadaptation en toxicomanie qui comprend une aile juste pour les adolescents. Ça fait deux semaines que j'y suis. À mon retour à la maison, après mon séjour à l'hôpital qui a duré un bon mois, ça n'a pas été trop long avant que mes parents me parlent de cet endroit. Par curiosité, je suis allée voir leur site Web. En quelques minutes, j'ai décidé que je voulais y aller. Je leur ai donc donné un coup de fil et une semaine plus tard, j'étais à leur porte. Papa, maman, Luc et même Sophie ont fait le voyage avec moi pour me souhaiter bonne chance.

Je suis venue ici pour essayer de guérir et d'oublier, mais aussi parce que j'en avais marre d'avoir mes parents sur le dos à la maison. Chaque seconde de la journée était une excuse pour me demander si ça allait, si je voulais quelque chose, si je voulais parler. Leur changement d'attitude était beaucoup trop radical pour moi. Je trouvais ça hypocrite, même si je savais qu'ils ne voulaient que m'aider. En plus, j'avais des sautes d'humeur incroyables. Ça rendait l'atmosphère de moins en moins vivable. Je m'en suis rendu compte quand j'ai vu Sophie aller se cacher derrière ma mère lors d'une de mes crises. Je me suis sentie comme une merde de lui faire peur comme ça. Ça m'a brisé le cœur. C'est là que j'ai compris que j'étais dans cet état parce que je n'avais pas ce dont j'avais *vraiment* besoin. Mon *fix*. De temps à autre, le bien qu'il me procurait me revenait en mémoire. La drogue me faisait tout oublier… Le manque n'était plus physique, mais psychologique. J'essayais de me contrôler, mais ça ne donnait rien. J'avais besoin d'aide. Ça, au moins, j'étais capable de l'admettre.

Au centre, la vie est très différente de ce à quoi je suis habituée. Tout est réglé au quart de tour : le lever, les repas, les activités, les rencontres de groupe, les rencontres individuelles, le coucher. On vit carrément en communauté. Et dans cette petite communauté, on apprend à faire confiance aux autres, mais aussi à soi-même. À aider l'autre et à s'aider soi-même. On essaie de changer nos comportements, nos attitudes. Bref, c'est un peu comme si on réapprenait à vivre. En tout cas, ça donne toute une leçon d'humilité. En vivant ici, et même après tout ce qui nous est arrivé, on se rend compte qu'on a encore beaucoup de chemin à faire.

Tout ce que les autres jeunes savent sur moi, c'est ce que je leur ai dit, un jour, alors qu'on dînait avec des intervenants. Un des gars m'a tout bonnement demandé pourquoi j'étais ici. En balayant le reste de riz dans mon assiette, je lui ai répondu que le mec que j'aimais avait fait de moi sa pute. Quand j'ai prononcé ces mots, je le regardais droit dans les yeux. Je pensais que je lui avais cloué le bec et qu'il me laisserait tranquille, tellement ce que je venais de dire était intense. Mais il a répliqué quelque chose du genre: «Ah, OK, t'avais un *pimp*. Ouais, *shit*, j'connais ça. On en a déjà eu une comme ça, ici.» Puis il a simplement secoué la tête et continué à manger. «On en a déjà eu des comme ça»? Des comme quoi? Ça m'a fait un choc. En une phrase, il a résumé plusieurs mois de ma vie qui ont été un véritable enfer. Même si je voulais être ici, je me suis surprise à regretter ma décision.

Malgré cet événement, quand j'y pense, lorsque quelqu'un partage ce qu'il a vécu, il n'est jamais jugé. Que ce soit par l'intervenant ou les autres jeunes. J'imagine que si je parlais, ce serait pareil et personne ne me jugerait. Je veux dire, pourquoi est-ce que les filles décideraient de me faire chier tout à coup? Merde! Qu'est-ce qui me fait si peur?

Lorraine reprend, toujours aussi calme qu'un Jedi.

– Et si je te posais une question ? Peut-être que ça t'aiderait ?

Je hoche la tête pendant que mon cœur augmente sa cadence.

– Bon. Penses-tu être capable de remonter la pente, Leïla ?

On dirait qu'elle a lancé cette question comme ça, au hasard, pensant probablement que je n'y répondrais pas. Elle me regarde d'un drôle d'air quand je pousse un long soupir. Elle comprend que cette fois, c'est la bonne. Je vais vider mon sac.

– Remonter la pente ? Je sais pas si c'est possible. Si c'est le cas, ça sera pas une partie de plaisir. Je devrais m'inquiéter pour des trucs comme le bal des finissants et les nouveaux projets qu'amène le cégep, mais à la place, j'suis comme blasée. J'avais peur que ça m'arrive. Surprise ! Ça m'est arrivé. Y a plus rien qui me touche, on dirait. La preuve, souvent, j'me dis que quand je sortirai d'ici, j'irai m'asseoir au parc pour voir si des filles comme moi se font prendre entre les sales pattes d'un prince charmant qui va leur promettre la lune. Et là, j'me demande : si ça arrivait, qu'est-ce que j'ferais ? Est-ce que je volerais à son secours ? N'importe qui se dirait qu'avec ce qui m'est arrivé, c'est l'option la plus probable. Sauver des p'tites filles, ça devrait être ma mission maintenant. Mais vous voulez que je vous dise ? Je la laisserais aller à sa tragique destinée.

« Malheureusement ou heureusement, toute cette histoire m'a permis de me rendre compte de ce que j'avais auparavant. Ça m'a permis de voir à quel point j'ai été stupide de bêtement cracher là-dessus. Sur mes amis, ma famille, mes projets, bref, ma vie. On serait porté à croire que maintenant, j'apprécie encore plus tout ce que j'ai, mais c'est faux, ça aussi. Parce que tout ce qui reste en moi, c'est un trou béant. Je ne ressens plus rien. J'ai les dents fichues, le nez qui brûle juste à respirer, des douleurs constantes dans toutes les cellules de mon corps et mon utérus est tellement malade que je ne sais pas si je serai capable d'avoir des enfants. De toute façon, est-ce que je voudrais vraiment en mettre sur cette terre après avoir goûté le pire et sachant très bien que le pire prend toute la place ?

« Je demandais juste à être aimée et acceptée comme je suis. Je croyais vraiment que c'était ce que j'étais en train de vivre avec Jonathan. Mais à la place, je passe des jours et des nuits d'enfer, ici, à ruminer mon passé.

« Avant que j'arrive au centre, plein de gens m'ont dit que rien de ce qui s'est produit était de ma faute. Que j'ai été manipulée comme on manipule une marionnette. Mais vous savez quoi ? J'pense que tout ce qu'on me dit pour me remonter le moral, c'est de la foutaise. Rien de plus. Si quelqu'un doit se tenir responsable de ce qui lui est arrivé, c'est bien moi. J'ai pas envie d'me cacher derrière des circonstances, comme le fait que je n'avais plus mon frère à mes côtés ou encore la tromperie que j'ai subie de la part de mon copain. Mon ex-copain, ostie… La seule coupable et responsable, c'est moi. Je me suis jetée dans la gueule du loup les yeux grands ouverts ! Comme une conne ! »

Ma voix se brise et j'éclate en sanglots. Je me sens tout à coup libérée d'un énorme poids. Lorraine et les autres filles ont écouté mon long discours en silence. On pourrait entendre une mouche voler dans la salle. Je pose les yeux sur l'intervenante. Elle me sourit.

   – Bien, Leïla. Tu fais des progrès.

25

Alors qu'il rédigeait avec moi le plan d'intervention que je devrais suivre, je me suis entendue avec l'éducateur pour entreprendre une psychothérapie. Je suis présentement dans le bureau de la psy et je l'attends. Elle s'appelle Marie. On m'a dit de ne pas m'en faire parce que Marie n'est pas comme les autres. Ouais… Ça veut dire quoi au juste ?

En tout cas, elle perd déjà des points. Elle est en retard. Fatiguée d'attendre, je m'apprête à sortir quand la porte s'ouvre enfin. Elle entre dans la pièce sans dire un mot. Je lève un sourcil. Je ne m'attendais pas à ça. Marie est jeune. La mi-vingtaine, maximum. Elle porte des jeans troués et un t-shirt à l'effigie des Rolling Stone. Elle s'assoit derrière le bureau et m'adresse un sourire en coin avant de se pencher sur sa paperasse. Je me sens quasiment de trop. Dis-le si je te dérange, la grande !

— Leïla, c'est ça ?

Tiens, elle se décide enfin à me parler.

— Ouais, c'est ça.

— J'avais hâte de te rencontrer! lance-t-elle à ma grande surprise. Je passerai pas par quatre chemins. Je sais que tu me fais pas confiance. Mais je comprends tout à fait, vu ce que t'as dû endurer.

Ah non, merci! Pas envie que cette fille, parce qu'elle a l'air un peu cool, fasse comme si elle savait vraiment ce que j'ai vécu. Pas le temps de niaiser. Je me lève pour sortir de la pièce, sans même lui donner d'explication, quand elle dit:

— Moi, on m'appelait Knock-Out parce que quand une fille ne payait pas ses dettes, c'était moi qu'on envoyait collecter. J'hésitais jamais une seule seconde à la frapper pour qu'elle rembourse ce qu'elle devait. Comment on t'appelait, toi?

Je me retourne, comme au ralenti. Je la regarde, les yeux pleins de points d'interrogation. Les yeux qui demandent: «Qu'est-ce que tu viens de dire là?» Je m'attends à ce qu'elle me dise que c'est une blague. Mais elle ne bouge pas d'un poil. Je me laisse tomber lourdement sur ma chaise.

Elle reprend:

— Toi et moi, on n'aura pas la plus belle relation du monde du jour au lendemain. Par contre, j'aimerais ça qu'on essaye. Et comme ce qu'on a vécu peut se ressembler d'une manière ou d'une autre, je pense qu'on pourrait s'entendre. Ce qu'on t'a fait dans ce gang, Leïla, c'était totalement inacceptable. Inhumain. Et c'que t'as vécu avec ton soi-disant copain, c'était tout sauf de l'amour.

FILLE À VENDRE

«C'est inscrit dans ton dossier que t'as un journal de session, mais que tu y as à peine touché. J'ai envie de te donner un devoir, là, tout de suite. Ce soir, avant de te coucher, ou demain, comme tu veux, écris tout ce qui te passe par la tête dans ton journal de session. Lâche-toi lousse, comme on dit! Mais surtout, regarde ça avant de commencer (elle me remet une feuille avec un schéma et un peu de texte). J'aimerais savoir ce que t'en penses. Bon. Je crois que j'ai fait le tour. T'es prête à commencer?»

26

De retour dans ma chambre avec la feuille que m'a remise Marie, je me demande ce qu'un spectateur m'aurait dit s'il l'avait eue entre les mains et s'il avait assisté à la dernière année de mon existence. Probablement : «T'es vraiment conne !» Le pire, c'est que je ne pourrais pas lui en vouloir. Parce qu'avec cette feuille en main, c'est l'évidence même.

Cette feuille, c'est comme une arme secrète. La recette pour s'épargner bien du trouble. Me semble que c'est le genre d'outil qu'on devrait distribuer au plus grand nombre, non ? À toutes les filles de mon âge. Je comprends pas pourquoi j'ai dû me rendre en désintox pour y avoir accès. Où sont les mises en garde, écrites en rouge criard ? Où sont les porteurs de cette nouvelle ? S'ils ont fait une tournée des écoles, je me botterais le derrière de les avoir manqués.

Je n'ai jamais été bonne en maths. Jamais. Je n'ai jamais bien compris ces os… (j'essaie d'arrêter de sacrer) ces histoires de schémas et de graphiques. Mais ce schéma-là, celui que Marie m'a remis, je sens qu'il a une réponse pour moi. Je me suis donc creusé les méninges pour en comprendre le sens. Du fin fond de mes tripes, je savais qu'il était la réponse tant attendue à ces jours, nuits, minutes et secondes de torture à me demander « pourquoi ». Sinon, Marie ne me l'aurait pas donné.

Après des heures et des heures, ça m'a frappée comme une enclume sur la tête. La lumière s'est enfin allumée. Ça m'a semblé tellement simple ! Si simple, en fait, que j'ai appelé Luc pour lui faire part de ce que je venais de découvrir. Je voulais vérifier avec quelqu'un, juste pour être sûre que je n'étais pas à côté de la plaque. Je lui ai demandé de dessiner le schéma circulaire. Ensuite, je lui ai dicté les titres qui correspondaient aux huit étapes du schéma[6]. Quand j'ai été certaine qu'il avait la même information que moi sous les yeux, je lui ai parlé de mes expériences. Et elles collaient de manière inquiétante à chacune des étapes…

C'est fou. Ça donne le vertige. Ça me stupéfie de savoir que, quelque part, des professionnels qui travaillent en vase clos ont pu prédire chacun de mes faits et gestes. Pourtant, la preuve est là, devant moi, tangible.

J'imagine que je devrais mettre cette info dans mon journal de session. Un, parce que ça répondrait au devoir que Marie m'a demandé de faire et deux, ça me permettra de voir si ce que j'ai découvert a toujours autant de sens une fois sur papier. Mais j'ai une frousse impossible. Mon cœur fait des galops dans ma poitrine. Ça m'effraie de me confirmer à moi-même à quel

---

6. Le schéma est disponible sur le site Internet suivant, à la page 13 du document PDF : http://gangsquebec.com/wp-content/uploads/2012/06/Le-silence-de-Cendrillon-Guide-daccompagnement.pdf

point j'ai été stupide. J'angoisse à l'idée de m'avouer qu'au lieu d'être tombée amoureuse, je suis tombée à pieds joints dans une histoire d'horreur. Je refuse de me résoudre à écrire que j'ai été aveuglée pendant presque un an. Mais en même temps, ça me brûle. Ça me brûle à l'intérieur. Je n'ai pas le choix de faire sortir tout ça de moi. Sinon, demain matin, les éducateurs ne trouveront que des cendres dans mon lit.

Tout ça est très confus dans ma tête. C'est difficile pour moi d'admettre que j'ai fait partie d'un gang de rue et qu'on m'a utilisée à des fins de prostitution. C'est ce que Marie m'a dit, froidement, sans même me donner le temps d'encaisser le coup. Clairement, elle n'avait pas envie de me ménager. Elle sait qu'après être passé par là, on a le dos large. Malgré tout, je ne suis pas capable de le dire avec autant de détachement, comme ce gars, l'autre jour, au dîner. Je ne suis pas encore rendue là. Dans ma tête à moi, j'étais simplement amoureuse. Et aveugle, faut croire.

Jonathan, je l'aimais… On a vraiment vécu une belle histoire avant que tout ne dérape. Il me faisait me sentir tellement bien ! Comme une autre. Mais cette autre, elle était spéciale. Cette autre, elle était tout ce que je rêvais d'être. Il est arrivé dans ma vie, avec son charme immense, et soudain, tout était plus rose. Plus simple. La vulgaire chenille que j'étais est devenue un papillon. Butterfly.

Je pousse un long soupir. Et je me décide finalement à écrire.

FILLE À VENDRE

1er décembre

OK... J'me lance.

...

J'ai pas envie... 😞

~~Je m'appelle Leïla et~~

Ahhhhh, c'est dur !!!

Je vais vous raconter l'histoire de mes quinze ans en huit étapes. Huit petites étapes pour résumer une année infernale...

Premiers contacts

Pour moi, ç'a été ce matin d'octobre, près du banc de parc sur lequel j'avais dormi. C'est là que Jonathan est apparu comme par magie, plein de bonnes intentions, avec son sourire charmeur. En quelques minutes, mon destin était scellé. Presque instantanément, je suis tombée amoureuse de lui.

Anticipation des avantages

J'ignorais à ce moment-là que Jonathan trempait dans des histoires pas nettes. Tout ce dont je suis certaine, c'est que plus j'apprenais à le connaître, lui et la vie fantastique qu'il m'offrait, plus je l'aimais. Pendant ce temps, il s'arrangeait pour m'éloigner le plus possible de mes parents en les diabolisant à mes yeux. En me disant qu'ils ne me comprendraient jamais. Qu'ils ne voulaient que me mettre des bâtons dans les roues et m'empêcher de vivre ma vie. Je l'ai cru sur parole...

Implication, engagement

Les partys. La drogue. L'alcool. À profusion. « *That's the VIP life* », comme m'avait dit Iza. Étrangement, elle va me manquer. Même si nous étions très différentes l'une de l'autre, j'ai appris à la voir comme mon mentor... ma grande sœur. À sa manière à elle, elle prenait soin de moi. N'ayant plus Ariane ni Luc, j'ai trouvé en elle une remplaçante qui me guidait dans ma nouvelle vie.

Puis il y a eu un pacte, informel. Lors de cette fête. Quand Iza m'a expliqué les règles, je suis devenue l'une des leurs. Officiellement. J'avais apposé ma signature en bas du contrat, sans même lire les petits caractères.

Lune de miel

J'avais du *fun*. J'étais amoureuse. Libre. Enfin ! Puis il y avait ses amis, qui sont devenus mes amis. Ma famille. Tous aussi cool les uns que les autres. Ils m'adoraient. J'étais la petite préférée. J'avais un amoureux super beau, un toit sur ma tête, des vêtements, des bijoux, une guitare, un rêve...

J'étais carrément le centre de l'univers de Jonathan. Et je voulais m'y fondre pour ne plus jamais revenir. Il m'offrait ni plus ni moins que la vie sur un plateau d'argent. Mais toute chose a un prix... Il m'a vendu un rêve. Un très beau rêve. Et j'ai mordu à l'hameçon. Fort. Très, très fort. Tellement, que même si j'avais voulu, je ne pouvais plus lâcher. J'étais prête à tout. Littéralement tout, pour ne pas le perdre... Et comme toute bonne chose a une fin...

Situation de crise

Le temps a passé. Jonathan m'a dit qu'il avait des problèmes d'argent. Vivre comme une reine, ça coûte cher et l'argent, ça ne pousse pas dans les arbres. « Tu veux continuer la grande vie, il faudra payer. Je me suis endetté pour toi. » Payer ? Mais comment ? En dansant. J'ai accepté. Avec un peu de réticence, oui. Mais je l'ai fait. J'ai dit OUI. CONSCIEMMENT, SACHANT TRÈS BIEN CE QUE ÇA IMPLIQUERAIT. Après tout, je lui devais bien ça. Et je voulais mon fix. Et je le voulais, lui...

De toute façon, pour moi, le sexe était rendu quelque chose de tellement banal, de monnayable : j'te fais une pipe, tu me donnes de quoi sniffer... Je faisais déjà plein de choses avec les gars du gang... « Un de plus, un de moins », que je me disais. Qu'est-ce que ça pouvait bien changer ? C'est comme si la danse érotique était la suite logique... En tout cas, Jonathan et ses amis se sont bien arrangés pour qu'elle le devienne.

Si tout ça m'a semblé relativement « normal » pour un bout, y'a eu un moment où tout m'a explosé en pleine gueule. Les crises. La période des nombreux malaises. La période du « Mais dans quoi j'me suis fourrée, bon sang ? ».

FILLE À VENDRE

Le malaise, c'est quand, sans même m'en rendre compte, je suis devenue une pute. Le malaise, c'est quand, comme si c'était tout à fait normal, l'homme en complet-cravate a ni plus ni moins abusé de moi. Comme si j'étais qu'une merde... Un objet, sans émotion, qui se laisse faire. Le malaise, c'est quand Jonathan s'est mis à être violent envers moi. Le malaise, c'est quand je me suis dit que plutôt que sa violence, je voulais son amour et que pour avoir cet amour, je devais faire et refaire ce qui me répugnait tant...

Le malaise, c'est lorsque Jonathan s'est mis à flirter avec d'autres filles. Le malaise, c'est quand je me suis mise à être malade. C'est quand, squelettique et laide, j'ai commencé à faire de moins en moins d'argent avec la seule chose que je savais faire. Le malaise, c'est quand Jonathan est devenu Young Gun. Le malaise, c'est quand je me suis rendu compte que je n'étais plus moi-même. Le malaise, c'est quand Andréanne est morte.

Dilemme, réflexion

Ce soir-là, tandis que je pensais que notre amour renaissait de ses cendres, Jonathan m'a abandonnée. Comme on laisse un chien dont on ne veut plus sur le bord de la route. Même si j'ai songé à me faire pardonner pour ce que je lui avais fait, j'ai quand même compris que la vie auprès de lui comportait plus de contre que de pour. J'ai donc décidé de lever l'ancre même si, d'une certaine manière, il m'y avait poussée. Malgré tout, le mode de vie que j'avais adopté au cours des derniers mois m'a suivi comme la peste. J'ai peut-être laissé Young Gun derrière, mais tout ce qu'il m'avait appris, l'alcool, la drogue, le sexe, est resté trop bien collé à moi.

Coupure, distance (arrêt des activités)

La distance, de plusieurs kilomètres, pour oublier. Pour supposément trouver mieux. Tout ce que j'ai trouvé, moi, c'est un autre bourreau, une autre manière de laisser ma vie derrière. J'aurais pu mourir, sans André...

Reprise des activités

Jamais. Non. JAMAIS...

27

Ça fait au moins dix minutes que Marie est concentrée sur mon journal. Je me tords les mains sur les genoux. Elle va probablement me dire que je n'ai rien compris au concept du schéma.

Marie relève la tête. Elle ferme mon journal en soupirant et me regarde, intensément. Elle ne dit rien. Ça me stresse encore plus. Elle doit chercher une manière de me laisser savoir gentiment que je n'ai rien compris. Vas-y, qu'on en finisse ! Je suis capable d'en prendre.

— Ça m'étonne, Leïla. Vraiment beaucoup.

— Pas la peine de mâcher tes mots. Je sais que j'ai rien compris.

— Au contraire. Ce qui m'étonne, c'est que tu aies compris si vite.

Je relève la tête à mon tour. Je ne voulais pas voir la déception dans ses yeux, comme je l'ai vue dans ceux de mes parents, de Luc, d'Ariane, de Young Gun… Cette femme a le don de m'étonner !

— Qu'est-ce que tu penses que ça veut dire, ce que tu as découvert ?

— Que j'me suis fait rouler.

Elle me regarde droit dans les yeux. Je suis capable d'y lire qu'à un moment donné dans sa vie, elle aussi s'est dit cette même phrase. «Je me suis fait rouler.» Ce n'est pas facile à accepter. Mais en même temps, c'est trop évident. Même lorsque j'étais là-dedans jusqu'au cou, je savais. Mais je gardais un voile sur mes yeux parce qu'il y avait tout de même une partie de cette vie que je chérissais.

— Qu'est-ce que t'aurais envie de faire, là, maintenant, si tu t'écoutais ?

— Si je m'écoutais ? (Je pousse un léger rire.) Je retournerais à Montréal, je le prendrais dans mes bras et j'lui dirais que je l'aime. Je le dirais aux autres, aussi. Tu comprends ? Je sais qu'il m'aimait pas. J'sais. Mais pendant presque un an, ma vie a été radicalement différente. Quand Jonathan m'a laissée à la station-service, c'est comme s'il avait essayé de m'effacer de sa vie, comme si j'avais jamais existé. Mais pour moi, c'était pas pareil ! Je veux dire, j'avais dans ma vie un gars que j'aimais, un appart, de l'argent. Je sortais quand j'voulais, j'avais des amis ! Une tonne d'amis ! C'était pas juste d'la marde, cette vie-là, tu sais !

— Je te crois, Leïla. C'est une vie qui est quand même passionnante pour un bout de temps. On se sent important. C'est vraiment une famille, comme tu dis, mais sans les restrictions. Et les moins bons côtés ?

Je ne réponds pas. Je n'ai plus envie. Tout d'un coup, je me sens lasse.

— Écoute, Leïla. Je sais que ce n'est pas facile de passer par là. Même si on admet qu'on s'est fait avoir, on n'arrête pas d'aimer les gens comme ça, du jour au lendemain, surtout quand on a l'impression qu'ils nous ont fait tellement de bien. Ça prend du temps. Pour accepter qu'ils nous ont fait tellement de mal.

Elle marque une pause avant de poursuivre.

— Tous ces bons moments, on les paye cher, pas vrai ?

Je hausse les épaules, même si je sais qu'elle a raison, encore une fois.

— On n'est pas obligées de faire tout le travail aujourd'hui, non plus. Ça va prendre du temps pour dégriser de cette vie. Toutefois, je veux que tu saches que je suis prête à tout pour que tu réussisses à te pardonner. OK ?

Sans que je m'y attende, j'explose. J'explose, comme je le fais très rarement. La dernière fois, c'était lorsque j'avais dix ans et que mon chat est mort. Qu'est-ce que je l'aimais, ce chat ! J'étais triste et affolée tout à la fois, mais surtout rageuse contre moi-même de ne pas m'en être assez bien occupée. Aujourd'hui, je me sens comme ce fameux jour. Sauf que le défunt, c'est moi. Comment je suis censée vivre normalement, après tout ça ?

28

25 décembre

Je suis chez mes parents pour le temps des Fêtes. Il est minuit cinq. Joyeux Noël...

J'ai toujours attendu Noël. Pour moi, cette journée est normalement synonyme de joie, de bonheur, de cadeaux, et je l'attends avec impatience. L'an dernier, c'était autre chose, une autre dynamique. Je ne m'en souviens même pas, à vrai dire. J'étais probablement trop gelée pour me rendre compte que le père Noël descendait dans les cheminées pour apporter aux enfants les joujoux tant mérités. Moi, je n'ai rien eu, cette année-là. J'étais bien trop méchante.

Me sortir du merdier émotionnel dans lequel je me suis fourrée, je ne sais pas si ce sera un jour possible. Chaque fois que j'ai l'impression de refaire surface, je me rends compte qu'il y a une autre porte à ouvrir. Et derrière cette porte, je ne trouve que de la souffrance et des problèmes qui semblent tous sans solution.

Une chance que j'ai Marie. Elle m'aide énormément en me parlant de ses expériences et des épreuves qu'elle a réussi à surmonter. Ça me fait du bien de savoir que c'est possible de s'en sortir. Par contre, les séquelles qui restent me rappellent tous les jours ce que j'ai vécu. Et je vivrai avec ces séquelles POUR LE RESTE DE MES JOURS. Wow...

Au cours de mes semaines au centre, j'ai découvert une chose importante. C'est peut-être bien la seule certitude que j'ai en ce moment. Je sais que je vais devoir cohabiter avec Butterfly tout le reste de ma vie. Elle s'est greffée à moi et je sens constamment son poids sur mes épaules. Elle est coriace. Elle ne lâchera pas. Au mieux, je peux la chasser pour quelques heures. Mais elle est rapide. Au moment où je m'y attends le moins, elle place ses bras sur mes épaules, ses jambes autour de mes hanches et elle me chuchote à l'oreille : « Je suis là. Je suis là pour rester. » Et elle s'accroche. De toutes ses forces. Elle veut reprendre le contrôle de ma vie et la détruire. Elle veut continuer de jouer les putes qui se dopent...

Ma vie aux côtés de Young Gun et des autres membres du gang était faite de contradictions constantes. Ils disaient qu'entre nous, on prenait soin l'un de l'autre. Si, pour eux, prendre soin de moi, c'était d'me violer à répétition, il faudrait qu'ils revoient la définition de l'expression. Ils disaient aussi que, sans hésitation, ils me sauveraient de N'IMPORTE QUELLE DIFFICULTÉ. Pourtant, personne n'est venu à mon secours quand Young Gun m'a frappée ou quand il m'a abandonnée. Les membres d'une vraie famille se seraient inquiétés de ma santé, de ma sécurité, auraient tout fait pour me retrouver. Comme l'ont fait mon père, ma mère, Luc et Sophie...

Malgré tout, j'ai souvent pensé à retourner vers Jonathan. Je me suis même rendue jusqu'à Montréal hier, prétextant avoir des cadeaux de dernière minute à acheter. Je suis allée près de l'endroit où Young Gun habite. Je ne l'ai pas vu. De toute manière, même si ça avait été le cas, je n'aurais pas eu la force de lui parler. Je l'aime, oui, mais je sais que cet amour est malsain et tellement pas réciproque. Sauf que j'ai tendance à l'oublier et à vouloir croire le contraire... C'est vraiment *fucké* dans ma tête.

Depuis que j'ai raconté mes mésaventures à Luc, il m'appelle constamment. Au moins une fois par jour, même si c'est juste pour me dire qu'il m'aime. Ça le rend fou que je ne sois pas capable de lui en dire davantage. De lui expliquer comment je me sens. Mais j'ai moi-même de la difficulté à mettre des mots sur ce que j'ai vécu. Marie m'a dit que ce sera un long processus...

Je ne sais pas ce que l'avenir me réserve. Mais cette fois, je ne vais pas aller au-devant des choses et me faire croire que je suis une adulte, alors que je suis juste une petite fille qui a encore trop à apprendre sur la vie. Sur elle-même. Je n'ai aucune réponse à mes questions. Aucune solution à mes maux. Je vais attendre que demain arrive et voir ce que ça donne. Je vais prendre les choses comme elles viennent et essayer de vivre un jour à la fois. *One day at the time.* Tiens, ça ferait un bon titre de chanson...

ÉPILOGUE

Ma mère me demande de rester tranquille pendant qu'elle met la dernière touche à mon maquillage. Mais je ne peux pas m'empêcher de gigoter sur ma chaise. Ce soir, pour la première fois de toute ma vie, je vais chanter devant un public. Un vrai. C'est le cadeau que m'offre mon père. Ce n'est pas l'événement du siècle, c'est dans le cadre d'un événement-bénéfice pour la fondation de l'hôpital Sainte-Justine, mais quand même. Je vais pouvoir présenter mon nouveau style musical qui est plus jazzy blues.

Presque un an s'est écoulé depuis qu'André m'a sauvé la vie et je n'ai pas vu le temps passer. J'ai été très occupée. J'ai quitté Portage, mais je continue de voir Marie en externe. Elle m'aide à me reconstruire, lentement. Très lentement.

J'ai tenté un bref retour à mon ancienne école, mais je n'ai pas pu rester. Tout le monde me regardait d'un drôle d'air. J'avais constamment l'impression d'être déshabillée du regard et ça, c'est quelque chose que je ne veux plus jamais vivre. Je suis donc partie sans regarder en arrière. J'ai repris mes études où je les avais laissées, en quatrième secondaire, mais dans une autre école. Ça me fait du bien. J'ai l'impression de me donner une deuxième chance. J'avais vraiment besoin de recommencer à neuf. Je suis relativement bien, à cette école. Personne ne sait par quoi je suis passée…

Les procédures judicaires sont longues. L'enquête sur Young Gun et ses complices, ainsi que celle sur la mort d'Andréanne sont toujours en cours, mais l'inspecteur m'a confié qu'il avait bon espoir pour moi.

— Bon, ça y est, ma belle ! C'est parfait comme ça ! dit ma mère en reculant d'un pas pour me regarder. Je vais aller rejoindre les autres dans la salle. Ne t'en fais pas, tout va bien aller !

— Merci, maman.

Elle pose une main tendre sur ma joue et ça me fait du bien. On dirait qu'elle va pleurer.

— Je suis tellement fière de toi, ma puce ! Allez, bonne chance !

Depuis mon retour à la maison, nous sommes plus proches, toutes les deux. Ça fait du bien. Maintenant, je suis contente qu'elle m'appelle «ma puce». Mais on a encore beaucoup de chemin à faire pour se comprendre.

Je prends une grande inspiration. J'entends l'animateur me présenter. Je fais quelques pas mal assurés jusqu'au micro. Un seul et unique projecteur m'illumine. Pendant un instant, je ne sais pas trop quoi faire. Mais une chose est sûre : cette fois, je n'aurai pas à enlever quoi que ce soit…

NOTE DE L'AUTEURE

Lorsque j'ai commencé ce projet, je ne savais pas trop jusqu'où j'avais envie de le mener. Pourtant, avec le métier que j'exerce, des histoires d'horreur, j'en ai entendu beaucoup. Que ce soit dans le cadre d'un projet de prévention de l'exploitation sexuelle des jeunes filles par les gangs de rue ou du programme *Sortie de secours*[7], la réalité à laquelle certaines adolescentes font face chaque jour ne me laisse jamais indifférente. Dans ce roman, je voulais décrire la réalité crue, dure et inimaginable à laquelle des jeunes, ici même au Québec, sont confrontés. Bien que l'histoire ait été romancée, on ne doit pas perdre de vue le fait qu'elle s'inspire, **sans être un modèle type**, d'une réalité que nos jeunes filles ne devraient pas avoir à subir.

Au Québec, définir la notion de « gang de rue » n'est pas une mince affaire. En effet, la communauté scientifique ne s'entend pas quant à la signification précise de ces termes. Si la définition

---

7. Programme intervenant auprès de jeunes à risque d'être recrutés par un gang de rue ou étant déjà impliqués dans un gang.

donnée par le Service de police de la Ville de Montréal (SPVM) est généralement acceptée[8], d'autres la considèrent comme incomplète. Comme nous ne sommes pas en mesure de décrire le gang lui-même et donc le «membre de gang de rue», pas plus que nous ne sommes en mesure d'associer la responsabilité de certains crimes à ces organisations, nous ne pouvons pas tirer de statistiques claires sur le nombre de gangs existants ni sur l'évolution de tels groupes.

Malgré tout, certaines estimations ont été rendues disponibles. En 1989, on comptait 27 groupes criminalisés et 314 membres connus. Aujourd'hui, à Montréal, ville la plus touchée par le phénomène, 25 gangs de rue organisés auraient été identifiés par les autorités et ces groupes rassembleraient environ 1250 membres. C'est donc dire que même si le nombre de gangs n'a pas augmenté, les effectifs, eux, se multiplient.

En lien étroit avec les activités de plusieurs groupes criminels, l'industrie du sexe est une plaque tournante qui engrange des profits astronomiques. Comme pour le cas des gangs de rue, aucune recherche n'est en mesure de déterminer quelle est la proportion de mineures, sous le joug d'un gang de rue, qui seraient exploitées sexuellement à des fins lucratives. Le contexte d'illégalité, la désapprobation sociale, le contrôle du marché par le crime organisé et l'accès limité à ce type de milieu expliquent l'absence de statistiques précises sur l'ampleur et la

---

8. «Un gang de rue est un regroupement plus ou moins structuré d'adolescents ou de jeunes adultes qui privilégient la force de l'intimidation du groupe et la violence pour accomplir des actes criminels dans le but d'obtenir pouvoir et reconnaissance et/ou de contrôler des sphères d'activités lucratives.» http://spvm.qc.ca/fr/jeunesse/parent-spvm-gdr.asp

portée des activités liées à l'industrie du sexe. Cependant, en 2002, le PIAMP – Projet d'intervention auprès des mineur(e)s prostitué(e)s – estimait à 4 000 le nombre de filles et de garçons, âgés de 12 à 25 ans, gravitant autour de l'industrie du sexe. De ces jeunes, plus de la moitié seraient des filles. Selon les données disponibles, on constate aussi que l'âge moyen d'entrée dans le monde de la prostitution se situerait, pour la plupart, entre 14 et 16 ans.

Le processus par lequel les jeunes filles sont amenées dans l'engrenage des gangs de rue est sournois et insidieux. En effet, la plupart des proxénètes (aussi appelés «pimp») utilisent la séduction comme technique d'approche. Ils s'intéressent principalement, mais non exclusivement, aux jeunes filles qui présentent diverses caractéristiques les rendant vulnérables: faible estime de soi, insécurité, goût du risque, expériences de vie difficiles (inceste ou autre abus physique, par exemple), etc. Leurs victimes sont ainsi plus réceptives à se faire offrir protection, amour, affection et hébergement.

Je n'ai pas écrit ce livre dans le but d'être alarmiste, mais surtout pour que les jeunes filles – nos sœurs, nos filles, nos nièces – se questionnent quant aux intentions réelles de leurs courtisans. «Une personne que je viens à peine de rencontrer se montre particulièrement généreuse et insistante. Pourquoi?», «Cette personne tente-t-elle de me manipuler? De m'isoler?», «Cette personne est-elle violente physiquement ou psychologiquement?».

J'ai choisi de traiter du sujet délicat de l'exploitation sexuelle des jeunes filles par les gangs de rue dans l'optique d'ouvrir les yeux des jeunes sur cette dure réalité, mais aussi de susciter le dialogue dans les foyers et à l'école. Car les parents, les enseignants et les professionnels qui gravitent autour des jeunes ont un rôle important à jouer en lien avec la prévention. Nous nous devons de parler ouvertement de relations amoureuses saines, de sexualité, du respect de soi et des valeurs à privilégier. Tous ces éléments sont cruciaux lorsque vient le temps, pour les adolescents, de faire des choix devant, par exemple, un proxénète, mais également dans d'autres sphères de leur vie. Faisons tout ce qui est en notre pouvoir pour leur éviter de devenir des proies faciles.

REMERCIEMENTS

Le terme «merci» me semble bien faible en comparaison de la reconnaissance sans fin qui bouillonne en moi. J'ai long-temps cherché un mot plus fort, plus expressif, mais aucun ne m'est venu à l'esprit. Donc simplement, merci.

Merci à l'homme qui partage ma vie et qui ne cesse jamais de m'inspirer, tous les jours, même s'il ne s'en rend pas toujours compte, même si je ne lui dis pas assez. J't'aime, Cac'!

Merci à mon fils, mon p'tit homme, qui alors faisait si souvent le même marché avec moi: une autre bouteille de lait contre trente minutes de plus sur l'ordinateur. Tu ne savais pas alors que tu aidais maman à réaliser son rêve et j'espère être capable de te rendre la pareille, autant de fois que nécessaire. Ne grandis pas trop vite.

Merci à ma famille. Papa, maman, Em, Pet, Chris, Sylvie, Dan, grand-maman Estelle. Merci de m'avoir soutenue, d'avoir cru en mes rêves.

Merci Isabelle. Ma *partner in crime* dans l'écriture! Tes commentaires m'ont été très précieux. Tu m'as aidée à croire que j'avais réellement une place dans le monde de l'édition.

Merci Carolyn, chère Carolyn, toujours aussi disponible et dévouée, mais surtout, passionnée, juste dans tes interventions. Si ce n'était pas de toi, je ne serais pas ici aujourd'hui, avec un roman que je suis fière de présenter au monde entier.

Merci, Sandy, de m'avoir téléphoné ce fameux après-midi du 14 octobre 2011 et de m'avoir proposé ce projet. Tu as changé ma vie à jamais.

À tous, mille mercis.

RESSOURCES

Dépliant sous forme de questionnaire qui permet de déterminer si tu serais susceptible d'être victime de prostitution juvénile.

http://www.spvm.qc.ca/upload/pdf/histoire_gang_depliant_fr.pdf

Centre de référence du Grand Montréal

Renseignements sur les ressources disponibles dans la grande région de Montréal

514 527-1375
www.info-reference.qc.ca

Chez Pops

Centre de jour pour les jeunes de moins de 25 ans

514 526-POPS (7677)
www.danslarue.com

Direction de la protection de la jeunesse, Centre jeunesse de Montréal

Réception et traitement des signalements pour les jeunes de moins de 18 ans

514 896-3100 24 h/jour
www.centresjeunesse.qc.ca

En Marge 12-17

Service d'accompagnement personnalisé et d'hébergement pour les 12 à 17 ans

514 849-7117

Jeunesse, J'écoute

1 800 668-6868
www.jeunessejecoute.ca

Le Bunker

Service d'hébergement pour les 12 à 19 ans

514 524-0029
www.danslarue.com

PACT de rue

Services pour les jeunes de la rue : écoute, soutien et accompagnement

514 278-9181

PIAMP (Projet d'intervention auprès des mineur(e)s prostitué(e)s)

514 284-1267

Tel-jeunes

514 288-2266
www.teljeunes.com

Spectre de rue

Services pour jeunes de la rue : centre de jour, accompagnement et références

514 524-5197
http://cam.org/spectre

FILLE À VENDRE

Centre pour les victimes d'agression sexuelle de Montréal

Ligne téléphonique d'urgence 24 h

514 934-4504

Drogues aide et références

Montréal et environs : 514 527-2626
Ailleurs au Québec : 1 800 265-2626
24 heures – 7 jours sur 7

Projet d'intervention prostitution Québec (PIPQ)

418 641-0168
Sans frais : 1 866 641-0168
pipq@qc.aira.com

Portage

Prévost, près du lac Écho
450 224-2944

Beaconsfield
514 694-9894

Saint-Malachie
418 642-2472

Cassidy Lake, au Nouveau-Brunswick
506 839-1200

Elora, en Ontario
519 846-0945

Keremeos, en Colombie-Britannique
250 499-4165

Dans la même collection

Le carnet de GRAUKU

Si tout a dérapé, c'est seulement parce que je n'en pouvais plus de voir la photo de mon cul partout... C'est déjà si dur d'avoir à le traîner ! Je sais, je sais... Je ne devrais pas utiliser le mot « cul ». Ce n'est pas un mot très « littéraire »...

Mais ce qui suit n'est pas une histoire gentille. Quand une gang de filles vraiment pestes ont photographié mes fesses et ont fait circuler la photo de cellulaire en cellulaire, j'ai réagi comme d'habitude : je me suis bourrée de chocolat et je me suis défoulée sur mon blogue. Puis cette fille, « Kilodrame », m'a laissé un message. Elle avait un moyen de me libérer complètement de mes problèmes de poids et de mes obsessions de bouffe. Une idée de carnet... Oui, j'ai maigri. Oui, j'ai enfin découvert la vie. Mais pas celle que j'imaginais...

> *Un roman qui n'a pas peur d'appeler un chat un chat, qui capte notre attention dès les premiers mots pour ne pas la relâcher avant la dernière page. Beaucoup d'humour et d'ironie, mais surtout, l'absence de clichés malgré la gravité des sujets évoqués : les* **troubles alimentaires***.*

Dans la même collection

Love zone

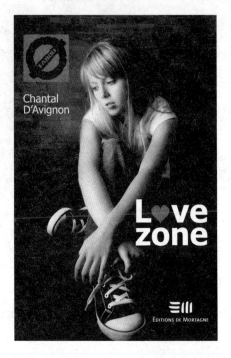

Marie-Michelle (Mich pour les intimes ☺) a 15 ans. Elle désespère de se faire un chum comme ses deux meilleures amies, Josiane et Marie-Ève, qui lui consacrent de moins en moins de temps pour cause de bécotage continuel… Jusqu'à ce que Mich rencontre Lenny, pour qui elle craque. Elle fera enfin la découverte de la complicité amoureuse, mais aussi, bien malgré elle, de la jalousie masculine…

Pas facile de gérer amours, famille, amis et études ! Voilà le dur constat que fera Marie-Michelle à l'aube de sa cinquième année du secondaire. Heureusement, à travers tous les tracas, il y a l'amour, le vrai, celui qu'on voudrait voir durer encore et toujours et qui nous donne des frissons dans tout le corps.

*Une histoire toute en simplicité, à laquelle nombre d'adolescentes sauront s'identifier. **Premières relations amoureuses** riment avec naïveté, questionnements, conflits, mais aussi avec purs moments de bonheur… À vivre pleinement !*

Dans la même collection

Ailleurs

On m'a demandé de raconter mon histoire… Mais comment faire sans raconter la leur, celle de toutes ces voix que j'entends constamment ? Certains disent que je suis malade, que je souffre de schizophrénie. Moi, tout ce que je sais, c'est qu'à quinze ans, ma vie a basculé lorsqu'elles sont entrées dans ma tête et qu'elles ont commencé à m'humilier, à me blesser au plus profond de mon âme…

J'ai tout essayé pour les faire taire et me retrouver seule, enfin. Prières, jeûne, médicaments, alcool, drogues… Mais on ne vient pas si facilement à bout de la Grande Gueule et de sa hargne. J'ai voulu lutter, par tous les moyens possibles, mais c'est à ce moment qu'a commencé ma longue descente aux enfers. Mon combat peut avoir deux issues : la mort ou… ailleurs.

Brillante, talentueuse, hypersensible, Rubby veut simplement vivre. Vivre comme tout le monde, comme avant… Un roman coup de poing sur l'enfer de la **schizophrénie** *qui ne laissera personne indifférent.*

Dans la même collection

**Le choix
de Savannah**

Je fondais tant d'espérances dans l'année de mes quinze ans… Je m'imaginais enfin rencontrer le grand amour, ressentir les petits papillons et tout le tralala. Pourtant, jamais je n'aurais pu imaginer l'enchaînement d'événements qui m'a amenée à faire le vide… en moi.

Christophe, le «roi de la drague», qui m'a envoûtée d'un simple regard, si profond que j'ai été engloutie.

Et puis la trahison, la peine, l'incompréhension. J'aurais voulu hurler ma douleur à la terre entière. Mais voilà que la vie en a décidé autrement: je devais mettre ma peine de côté et faire un choix… Un choix si important qu'il déterminerait chaque minute de mon existence… et de la sienne.

Sophie Girard, travailleuse sociale, propose ici un roman d'une grande sensibilité, dans lequel elle aborde avec beaucoup de finesse certains des enjeux les plus préoccupants de l'adolescence: **relations amoureuses, grossesse non planifiée et avortement.**

*Dans la même
collection*

Dernière station

Depuis la mort de son père, son seul confident, Marie-Ève a la rage de vivre mais le cœur empli de chagrin. Sa famille, ses amis, ses amours ne sont que déception. Sa mère ? Elle fait vivre un cauchemar quotidien à Marie-Ève. Son chum Simon ? Il ne peut pas comprendre son besoin de fuir… Après une première tentative de suicide à quinze ans, l'adolescente décide d'en finir une fois pour toutes avec sa souffrance. Elle n'en peut tout simplement plus de cette vie. Se jeter devant le métro lui semble être l'ultime solution à tous ses problèmes.

À son réveil, le choc est immense et les séquelles de son geste, inévitables. Mais, plus encore que les marques permanentes laissées sur son corps, Marie-Ève accepte le pari de vivre, pleinement, comme jamais auparavant.

*L'histoire de cette adolescente en mal de vivre respire l'urgence : l'urgence de s'accrocher au bonheur et de se libérer d'une révolte intérieure trop longtemps étouffée. Le **suicide** y est abordé sans détours, mais aussi avec beaucoup d'espoir et de courage.*

« Le sida, c'est pour les gays ou les drogués ! Pas pour les Juliette de seize ans qui ne se droguent pas, qui viennent de découvrir l'amour et qui ont toute la vie devant elles ! » C'est ce qu'a toujours cru Juliette… jusqu'au jour où un médecin lui annonce qu'elle est atteinte du VIH.

La dure réalité la frappe de plein fouet : sa première nuit d'amour, cette nuit qu'elle souhaitait parfaite, s'est transformée en cauchemar. La rage, la honte, la peur et un profond désir de vengeance envers ce garçon qui devait l'aimer, mais qui n'a su que détruire sa vie… Toute une gamme d'émotions avec lesquelles Juliette doit désormais composer. Apprendra-t-elle à vivre avec cette bête qui hante dorénavant chaque cellule de son corps ?

*Juliette vivait comme tous les autres jeunes de son âge : dans l'insouciance et habitée d'un puissant sentiment d'invulnérabilité. Et pourtant… le **sida** est venu briser son armure. L'adolescente livre ici un témoignage fidèle à son image : sincère, qui respire la joie de vivre et le refus de baisser les bras.*

Le secret

Aube aime son père. De tout son cœur. Il est le soleil de sa vie, son prince charmant, le gardien de ses rêves et de ses cauchemars.

Son père aime sa petite princesse. De tout son corps. Elle est l'inspiration de ses jeux interdits, son unique obsession, son pantin.

Ensemble, ils filent le parfait bonheur. Jusqu'au jour où il lui prend ce qui lui restait d'enfance et d'innocence. Aube commence alors à s'éteindre pour ne reprendre vie que bien des années plus tard, peu avant son dix-huitième anniversaire, dans un bureau du directeur de la protection de la jeunesse.

*L'expérience d'Aube ressemble malheureusement à celle de nombreux autres filles et garçons… mais elle a ceci de spécial : Aube a choisi de briser le silence. Dans ce roman, **l'inceste** est abordé sans tabous afin de lever le voile sur un sujet dont les victimes craignent de parler et sur lequel leur entourage ferme trop souvent les yeux.*

Dans la même collection

L'emprise

Sophie Girard

L'EMPRISE

Éditions de Mortagne

Trois meilleures amies qui découvrent l'amour. Trois expériences totalement différentes, à travers lesquelles les jeunes filles apprendront que l'amour peut donner des ailes, mais aussi les couper.

Quand l'amour devient une prison et que les paroles qui devraient être douces se transforment sournoisement en coups de poing au cœur, on ne sait plus à qui faire confiance. On ne veut rien voir, rien entendre. On préfère fermer les yeux. Et quand on devient soi-même la personne dont on se méfie le plus, on choisit de garder le silence. C'est ce que Mathilde a fait. Sauf qu'en gardant le silence, on peut perdre la voix et parfois même… la vie.

Une histoire d'amour ne devrait jamais être teintée de reproches, minée par une jalousie maladive ou ravagée par des paroles blessantes. Encore moins si cette histoire d'amour écorche au passage notre confiance et notre estime de soi. La relation entre Simon et Mathilde semble parfaite, mais sous les apparences se cache une **violence psychologique** *qui détruit l'adolescente à petit feu.*

Dans la même collection

Solitude armée

Comment aimer l'école, lorsque tout ce qu'on y vit, c'est l'humiliation et la violence ? Justin ne sait pas comment s'en sortir. La seule solution qu'il trouve est dans la révolte et la riposte. Quand on a seize ans, qu'on se croit différent et que, en plus, personne ne nous comprend, quel espoir nous reste-t-il ? Malgré la venue de l'amour dans sa vie, et le bien-être qu'il en retire, Justin parviendra-t-il à se détourner de son destin funeste ? À moins que son besoin de vengeance ne soit plus fort que tout…

En compagnie d'une poignée de jeunes qui vivent les mêmes épreuves que lui, Justin fera partie d'un plan d'une rare brutalité, dont il ne soupçonne pas encore la gravité des conséquences…

*L'histoire de Justin touche un sujet qui fait de plus en plus souvent les manchettes, malheureusement : la **violence à l'école**. Sous toutes ses formes. Même les plus extrêmes. C'est un récit qui vous marquera à jamais…*

Dans la même collection

Adios

Je m'appelle Sam. J'ai 18 ans. Je suis nul. Pour le moment, c'est tout ce que je sais de moi. Et c'est assez difficile à avaler… Je viens de doubler mon secondaire 5. Avec brio ! En fait, ce que je réussis le mieux, c'est «pocher» mes examens. En restant 100 % dans la lune (ça me ferait au moins un 100 dans mon bulletin !) et en n'étudiant pas, je me suis mérité un an de plus en enfer.

J'ai juste envie d'aller voir ailleurs si j'y suis. Ouais, c'est ça, j'me pousse ! Non. Ce serait carrément fou. Oh, et puis, tant pis. Qu'est-ce que je risque au fond ? Ici, c'est le vide, le néant. Ailleurs, j'arriverai peut-être à me trouver.

*Tous les adolescents ne font pas leur entrée au secondaire avec les mêmes chances de réussite, mais la décision d'abandonner l'école est le résultat d'un cumul de situations complexes. Comme pour trop de garçons de son âge, le **décrochage scolaire** semblait être la seule solution aux yeux de Sam. Pour trouver sa voie, le chemin peut être ardu, mais pas sans issue…*

À douze ans, Léa se surprend à éprouver une attirance pour une fille. Instinctivement, elle refoule ses sentiments par peur de la différence. À dix-sept ans, sa véritable nature s'impose de nouveau à elle. Mais Léa n'a pas changé d'avis : toute vérité n'est pas bonne à dire. En tout cas, pas toujours et, surtout, pas la sienne…

Elle choisit donc de vivre dans le mensonge, déchirée entre son désir de se dévoiler et celui de se cacher. Par crainte d'être pointée du doigt. Étiquetée. Mise à l'écart. Seule Frédérique, la copine de Léa, sait qu'elle est lesbienne. Mais leur amour naissant saura-t-il résister aux cachotteries ?

*Dans un monde où l'on présume de l'hétérosexualité des enfants, il est souvent difficile de s'affirmer, de sortir du placard. Et ce, même si les mœurs ont évolué, même si plusieurs clament haut et fort qu'ils ne sont pas homophobes… Ce roman touche un sujet peu traité dans les romans pour adolescents : l'**homosexualité féminine**.*

Dans la même collection

[V]ivre

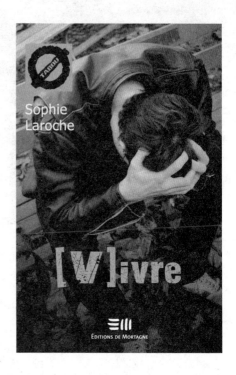

Depuis cette fameuse soirée chez John, Félix en parle sans arrêt à Nathan, son meilleur ami. Il ne cesse d'évoquer cette fête où ils ont bu plus que de raison. Normal, ils sont en âge de s'amuser ! Et bien sûr qu'ils étaient en état de conduire pour rentrer !

Il parle de l'accident, et des jours qui ont suivi : leur copain Zach, toujours dans le coma, Noah, si différent depuis. Il raconte le regard des autres, la difficulté de revenir à une vie normale, après « ça ».

Mais Nathan ne répond pas. Nathan est mort. Mort dans ce virage…

Une fraction de seconde où quatre vies ont basculé à jamais. À cause de l'alcool au volant. Pour quelques verres en trop, Félix a mis le « V » du verbe Vivre entre parenthèses. Ivre, il a cessé de Vivre. Il va pourtant bien falloir continuer. Survivre à l'absence de l'un, espérer la guérison de l'autre. Se supporter les uns les autres. Se supporter soi-même. Si c'est encore possible…

Dans la même collection

Onde de choc

Raphaël et Elliot ont toujours été amis. Leurs retrouvailles, chaque été, étaient autrefois accompagnées de rires, de complicité et de joie. Mais l'été de leurs dix-sept ans sera différent...

Elliot a changé. Il s'est fait une blonde – la belle Anaëlle – et il carbure encore plus à l'adrénaline qu'avant. Il n'a peur de rien et défie la vie – ou la mort – quotidiennement. Quant à Raphaël, il craint presque son ombre et suit son ami à reculons... jusqu'au jour où, sur la falaise, il met Elliot au défi de sauter. Ce jour-là, la vie des deux adolescents bascule.

Rongé par les remords, Raphaël est sous le choc lorsque Elliot lui demande de l'aider à mourir. Qui est-il, lui, pour exercer ce droit de vie ou de mort ? Et d'abord, le veut-il ?

Toujours considérée comme un acte illégal dans plusieurs pays, dont le Canada, l'euthanasie suscite bien des débats. L'histoire d'Elliot et de Raphaël nous place devant une décision que personne ne voudrait avoir à prendre.

Hey, toi !
Tu aimes la Collection Tabou ?

Certains sujets sur lesquels
tu adorerais lire n'y sont pas encore ?

Écris-nous pour
nous soumettre tes idées !

On veut savoir ce qui t'intéresse,
les thèmes qui t'interpellent,
afin de rendre la Collection Tabou
à TON image.

info@editionsdemortagne.com